W9-CHB-609

ДЕТЕКТИВ ЛАБИРИНТ

Марго Ленская и дьякон Андрей Берсенев.
Преступления из прошлого:

Портрет-призрак

Дневник тайных пророчеств

Фреска судьбы

Чёрный король

Белое станет черным

Под завесой мистических тайн:

Перстень чернокнижника

Особняк у реки забвения

Клиника в роще

Отель на краю ночи

Замок на Воробьевых горах

Приют вечного сна

Маша Любимова и Глеб Корсак.
Следствие ведут профессионалы:

Последняя загадка парфюмера

Иероглиф смерти

Никто не придет

Место, где все заканчивается

Не смотри ей в глаза

Покидая царство мертвых

Демоны райского сада

Конец пути

Ведьма придет за тобой

Евгения и Антон
ГРАНОВСКИЕ

ВЕДЬМА ПРИДЕТ
ЗА ТОБОЙ

ЭКСМО

Москва

2013

УДК 82-3
ББК 84(2Рос-Рус)6-4
   Г 75

Оформление серии *С. Груздева*

Грановская Е.

Г 75   Ведьма придет за тобой : роман / Евгения и Антон Грановские. — М. : Эксмо, 2013. — 352 с. — (Детектив-лабиринт Е. и А. Грановских).

ISBN 978-5-699-65336-2

Журналист Глеб Корсак не хотел идти в больницу, где лежал его школьный друг Андрей Темченко. Но Андрей только что вышел из комы и ничего не помнил о себе, он узнал лишь имя Глеба на газетной странице... Корсаку совсем не понравилась просьба старого приятеля, однако он все же согласился съездить на место аварии, после которой Андрей на долгие годы впал в беспамятство, и разобраться, что же тогда произошло...

Майор Маша Любимова не знала, рада ли она встрече со своим бывшим мужем Глебом, поэтому сосредоточилась на осмотре жуткого места, куда ее вместе со следственной группой вызвал Корсак. Чуть в стороне от шоссе в лесу обнаружилось пепелище: сгоревший охотничий домик и в куче золы останки молодой женщины — ей пробили грудь осиновым колом...

УДК 82-3
ББК 84(2Рос-Рус)6-4

ISBN 978-5-699-65336-2

Пролог

Два двенадцатилетних мальчика, рыжий и темноволосый, сидели на задней парте и перешептывались.

— Ты что, правда не веришь в колдовство? — удивленно спрашивал рыжий.

— Нет, — отвечал ему темноволосый.

Рыжий, которого звали Андреем, сдвинул брови и назидательно сказал:

— Но оно существует. У моего папы есть книга «Молот ведьм». Там написано, как можно узнать ведьму и как потом ее убить.

— Чушь, — небрежно обронил темноволосый мальчик, которого звали Глеб. — Никаких ведьм не существует. А твой «Молот ведьм» написали придурки, которым не везло с девчонками.

— Сперва почитай, а потом говори.

— Мне больше делать нечего, как разную муть читать.

Учительница химии Светлана Петровна Зотова постучала по столу указкой, оборвав свой монолог о тайнах бинарных соединений, и строго посмотрела в сторону задних парт.

— Темченко, Корсак! Хватит болтать на уроке!

Андрей и Глеб изобразили на лицах невинность.

Светлана Петровна вновь повернулась к доске, испещренной химическими формулами, и принялась водить по ней указкой, комментируя свои действия рассказом, который мало кто из учеников считал увлекательным.

— Так вот, — продолжал рыжеволосый Андрей, когда гроза улеглась, — в этом «Молоте ведьм» написано про поклонение дьяволу и про плотские сношения с инкубом или суккубом.

— Какие отношения?

— Плотские. Это когда мужчина и женщина...

— Я знаю, что это такое. — Глеб сложил пальцы левой руки колечком и потыкал в колечко указательным пальцем правой руки. — Примерно так, да? — насмешливо уточнил он.

Андрей хмыкнул.

— Ты вот смеешься, а ведь все это на самом деле. А еще у моего папаши есть книга про то, что мысли — действенны!

— Это как?

— Просто. Мысль действует на реальность. Если несколько человек одновременно очень сильно чего-то пожелают, то это может сбыться.

— Вот это уже точно чушь собачья.

— Темченко! Корсак! — раздался грозный окрик учительницы. — Если хотите поговорить — выйдите из класса в коридор!

— Простите, Светлана Петровна, — спокойно сказал Глеб Корсак. — Мы с Андреем говорили про формулу дифторида кислорода. По-моему, вы написали ее на доске с ошибкой. Вы поставили фтор в начале формулы, а надо — в конце. Ведь это фтор является окислителем кислорода, а не наоборот. Если, конечно, я ничего не путаю.

Светлана Петровна метнула на «умника» гневный взгляд, затем перевела его на доску и пробежала глазами по формулам.

— Да, действительно, — смущенно произнесла она. Затем исправила ошибку и снова посмотрела на Глеба, на этот раз смягчившимся взглядом. — Глеб, в следующий раз, если увидите ошибку, не шепчитесь у меня за спиной, а поднимите руку и скажите.

— Хорошо, Светлана Петровна.

Химичка продолжила разъяснять новую тему, а Темченко тихо пробормотал:

— Уф-ф... Пронесло. Так о чем я говорил?

— Ты не говорил — ты врал, — поправил его Глеб. — Про то, что мысль действенна.

— По-твоему, это вранье?

— Конечно.

Несколько секунд Андрей Темченко обиженно хмурил брови, а потом вдруг предложил:

— Поспорим на упаковку жвачки?

— О чем?

— Я говорю, что мысль действенна, а ты — что нет.

— И на что спорим?

— На пять пенделей и три чилима!

— Договорились. Мажем!

Глеб стиснул ладонь Андрея. Свободной рукой тронул мальчика, который сидел перед ними:

— Эй, Борзин, разбей! Хорек, оглох, что ли?

Тощий востроносый мальчишка, и впрямь похожий на хорька, глянул на химичку, удостоверившись, что она не смотрит, быстро повернулся и рубящим движением ладони разбил пожатие спорщиков.

Пари, таким образом, состоялось.

— Ну? — насмешливо спросил Глеб. — И чего будем желать?

— Корсак! Темченко! — На этот раз окрик учительницы заставил вздрогнуть весь класс. — Вы, я вижу, разбираетесь в новой теме? Что ж, хорошо! Раз все все знают, я ничего не буду рассказывать, а устрою по новой теме контрольную! Петрова, раздай всем листки!

Отличница Петрова, сутулая очкастая девочка с косичками, похожими на крысиные хвостики, поднялась с места, на негнущихся ногах прошла к столу, взяла пачку белоснежных листов, развернулась и двинулась вдоль парт.

Некоторое время ученики смотрели на листы бумаги, ложащиеся перед ними, завороженно и недоверчиво. А потом, словно очнувшись от обморока, все разом загалдели.

— Светлана Петровна, это нечестно!

— Мы молчали, это Темченко болтал!

— И Корсак! Темченко с Корсаком болтали, пусть они и пишут!

— Нельзя задавать контрольную по новой теме, это неправильно!

— Так, тихо! — повысила голос химичка и громко постучала указкой по столу. — Петрова, раздала?

— Да, Светлана Петровна.

— Садись на место. Контрольная состоится! А за свои будущие двойки благодарите Темченко и Корсака!

Головы одноклассников повернулись, несколько десятков ненавидящих глаз уставились на Глеба и Андрея.

— Так! — снова повысила голос учительница. — А теперь записывайте тему!

И медленно, с каким-то садистским удовольствием поглядывая на Глеба и Андрея, она продиктовала задания.

— Черт, влипли, — пробормотал Темченко.

— Да уж, — мрачно поддакнул Корсак.

И тут глаза Андрея сверкнули.

— Слышь, Глеб, у меня идея. А давай пожелаем, чтобы химичка отменила контрольную.

— Это дурость.

— Но мы же поспорили!

Глеб пожал плечами:

— Ладно, давай.

— Только желай по-настоящему. И думай об этом. И я буду думать.

— Хорошо. — Глеб хмыкнул. — Только думай не слишком сильно, а то голова от напряжения лопнет.

Мальчики уставились на Светлану Петровну. Она уже не стояла перед доской, а сидела за столом и писала что-то в своей тетради.

Прошло секунд десять.

— Ты уже думаешь? — тихо, уголком рта, спросил Андрей.

— Да, — в тон ему ответил Глеб, сверля учительницу взглядом. — А ты?

— Я тоже. Думай сильнее.

— Сильнее некуда.

Глеб и Андрей продолжали напряженно смотреть на химичку.

Прошло около минуты. Светлана Петровна оторвала взгляд от своей тетради и взглянула на класс. И вдруг вцепилась пальцами в край стола и шумно хватанула ртом воздух. Затем лицо ее посинело, правая щека и уголок губ отекли вниз. А в следующий миг она рухнула вместе со стулом на пол между столом и доской.

Несколько секунд потрясенный класс молчал, а затем все вскочили со своих мест и загалдели. Глеб опередил всех. Класс еще не пришел в себя, а он уже сидел на полу возле Светланы Петровны.

— Вызывайте «Скорую»! — крикнул он.

Склонившись над учительницей, Глеб принялся делать ей непрямой массаж сердца и искусственное дыхание — так, как их учили на уроках НВП.

Но время шло, а Светлана Петровна в себя не приходила.

Ребята что-то кричали, но Глеб их не слышал. Он продолжал свою безнадежную работу и перестал, лишь когда двое мужчин в белых врачебных халатах силой подняли его на ноги.

— Успокойся, парень, — сказал один из них. — Ей уже ничем не поможешь.

Глеб огляделся. Весь класс сгрудился возле стола Светланы Петровны, но среди десятков лиц Корсак разглядел всего одно — своего друга Андрея Темченко. Он был бледен, но на губах его застыла торжествующая улыбка.

К горлу Глеба подкатила тошнота. Он бросился из класса в коридор, и там его вырвало.

В тот же вечер между приятелями произошел разговор на ржавых качелях на пустыре, где они обычно встречались.

— Ты как? — спросил Андрей.

Глеб не ответил. Он достал из кармана пачку сигарет, украденную у отца, вынул одну и зажал губами. Пальцы его дрожали. Темченко посмотрел, как он прикуривает от стальной бензиновой зажигалки, и сказал:

— Ты мне проспорил.

Глеб молчал, пуская дым.

— Мы это сделали, — заявил Андрей, спокойно и внимательно на него глядя.

— Чепуха, — дернул щекой Глеб.

— Это сделали мы, — повторил Андрей.

— Перестань, — сказал Глеб.

— Мы с тобой убили ее.

— Заткнись!

— Ты и я, — настаивал Андрей. — Колдовство есть, понимаешь? Мы с тобой...

Корсак схватил Андрея за куртку. Тот замолчал, попятился.

— Ты что, Глеб?

— Ничего. Колдовства не существует, понял? У Светланы Петровны был инсульт. Я слышал, как врачи об этом говорили.

— Ты правда в это веришь?

Глеб разжал пальцы, выпустив куртку приятеля.

— Все это чушь, — хрипло сказал он. — Ты не колдун. И я тоже.

Однако Андрей не слушал. Глаза его засверкали, а голос зазвучал пронзительно, когда он проговорил:

— Глеб, если мы с тобой на это способны... Представляешь, что мы можем сделать, если захотим? Мы даже можем вызвать дьявола! Или суккуба!

— Ты читаешь слишком много глупых книг, — сказал Глеб. — Перестань шариться в библиотеке отца и почаще бывай на свежем воздухе.

Но Андрей его не слушал. В порыве волнения он схватил приятеля за плечо и крикнул ему в лицо:

— Глеб, ты не понимаешь! Ведьмы и колдуны существуют! Я докажу тебе это!

Корсак посмотрел на руку приятеля и велел тем же хриплым голосом:

— Убери руки, Темченко. И не подходи ко мне больше.

Лицо Андрея вытянулось от изумления.

— Что?

— Я сказал — убери руку. И больше ко мне не подходи. Никогда.

Андрей опустил руку.

— Значит, нашей дружбе конец? — спросил он, не веря собственным ушам.

— Мы никогда не были друзьями, — заявил Глеб. — Мы просто сидели за одной партой. Дружи с Виталиком Борзиным, он такой же ненормальный психопат, как ты.

Глеб отшвырнул окурок сигареты, повернулся и пошел прочь.

— Я докажу тебе, — крикнул ему вслед Андрей. — Слышишь?! Я докажу! И тогда мы посмотрим, кто из нас прав!

Глеб, не оборачиваясь, ускорил шаг.

Глава 1

•

ПРОБУЖДЕНИЕ

1

Было около трех часов ночи. Выпускник МГИМО Андрей Темченко гнал машину по пустынному шоссе. Фары выхватывали из темноты разметку дороги, мерцающие лужи, темную стену деревьев, подступающих к обочине.

— Она жива, — пробормотал Андрей. — Она еще жива.

И содрогнулся, осознав правоту своих слов. Сердце стиснуло ледяным обручем, а потом, когда обруч внезапно ослаб, оно забилось так часто, что Андрей вынужден был снизить скорость, чтобы машина не слетела в кювет.

Пальцы его дрожали.

«Она жива, — думал он. — Черт подери! Она жива!»

ВЕДЬМА ПРИДЕТ ЗА ТОБОЙ

Он миновал жестяной знак «Осторожно — лоси!», проехал еще метров пятьсот и сбавил скорость. Миновав еще километр, он остановил машину.

Чтобы покинуть салон и ступить на черную мокрую траву, Андрею понадобилась вся его смелость. Наконец он захлопнул за собой дверцу машины и вдохнул полной грудью влажный воздух леса. Над черными кронами деревьев плыла луна среди редких звезд и белесых туч.

Трасса по-прежнему была пуста. Лес, подступивший к ней с двух сторон, — темен и страшен. Андрей достал сигареты, закурил, пару раз судорожно и глубоко затянулся, отбросил окурок, снова повернулся к машине, открыл дверцу и вытащил с заднего сиденья палку и большой охотничий нож.

Потом он принялся за дело. Лезвие ножа то и дело соскальзывало с палки, но он продолжал упорно работать.

Наконец, посчитав, что сук достаточно заострен, Андрей сунул нож в карман куртки и вытер рукавом потный лоб. Он чувствовал себя страшно уставшим. Но как только Андрей перевел дух и вгляделся в лесную чащу, ждущую его и тоже вглядывающуюся в него, к нему вернулся страх. Он никак не мог избавиться из ощущения, будто за ним наблюдают.

Наконец, взяв заостренный кол наперевес, Андрей двинулся по невысокой траве в глубь леса и вскоре вышел на узкую тропку. Идти по ней в свете полной луны было не сложно, хотя и жутко. Земля и мокрая трава чавкали под ногами. Деревья стояли черные-пречерные, трава казалась скорее синей, чем зеленой.

Вскоре запахло дымом, и запах этот с каждым шагом становился все явственнее.

Через сорок минут он дошел до лесной полянки и остановился. И сразу почувствовал, что *она* здесь. Казалось, сама тьма содрогнулась, а затем что-то зашевелилось в этой мгле, и до ушей Андрея донесся тихий сиплый голос.

— Помоги... Помоги мне...

От тени, которую бросали на обугленные развалины охотничьего домика деревья, отделился шевелящийся сгусток и медленно пополз к Андрею. С трудом поборов искушение кинуться прочь, Темченко двинулся навстречу твари, извивающейся на земле, остановился рядом, взметнул над головой кол и с размаху всадил его заостренный конец чудовищу в грудь.

Раздался хруст. С травы испуганно вспорхнула стайка белых ночных мотыльков и ударилась в грудь и лицо Андрея.

Темченко, поборов приступ тошноты, нажал на палку сильнее. Сгусток тьмы, корчащийся на земле, задергался, захрипел, протянул к Андрею черные руки. Тускло и яростно сверкнули белки глаз, а затем сиплый голос прохрипел:

— Я приду за тобой... Я приду за тобой...

Андрей навалился на палку всем телом. Снова захрустело, и сгусток тьмы у него под ногами затих.

Поняв, что все кончено, Андрей выдернул палку и отшвырнул ее в сторону. Сердце колотилось в груди как сумасшедшее. По спине стекал ледяной пот. Андрей достал из кармана охотничий нож и присел рядом с монстром...

...Когда, наконец, все было закончено, Андрей выпрямился, перевел дух, затем, не давая себе отдохнуть, повернулся и быстро зашагал прочь. Он чувствовал, что тьма тянется за ним, как черный гудрон, словно она прилипла к его одежде, к его телу, к его душе.

Он невольно ускорил шаг. Но ощущение преследования не прошло. Тогда Андрей побежал. Еще быстрее! Еще! Туда, где у обочины стояла его новенькая белая «Тойота», подаренная отцом в ознаменование окончания института.

Он бежал все быстрее, но тьма преследовала его. Ему казалось, что мрак тяжело и плотоядно дышит ему в затылок, как хищный зверь. Деревья расступились, и впереди показалось полотно дороги. Андрей немного сбился с маршрута, его «Тойота» стояла метров на сто правее. Он выскочил на шоссе и повернул к машине. И в этот миг яркий свет ударил Андрея по глазам, потом что-то втянуло его в себя, закружило и понесло прочь.

«Вот и все», — успел подумать он и погрузился во тьму.

2

Восемнадцать лет спустя

— Лиз, пойдешь с нами в кафе?
— А что, пора?
Две подруги-медсестры переглянулись.

— Лиз, ты что, совсем заработалась? Уже пол-второго!

Лиза Пояркова, молодая симпатичная медсестра, стройная до худобы, посмотрела на часы.

— И правда, — вымолвила она удивленно.

— Так ты идешь или нет?

— Да. — Лиза отложила учебник анатомии, который зубрила в перерывах между делами, и поднялась из-за стола. Но тут же села снова.

— Ты чего? — спросила ее одна из подруг.

Лиза виновато улыбнулась:

— Да совсем забыла. Мне еще нужно пациенту из одиннадцатой укол сделать.

— «Спящему ухажеру»?

Подруги переглянулись и прыснули от смеха.

— Не забудь поесть, Лизка, а то скоро на ветру качаться станешь!

Подруги засмеялись, а затем, болтая и хихикая, двинулись по больничному коридору. Лиза проводила их взглядом, потом снова посмотрела на часы. Да, ей пора. Она снова встала из-за стола, прошла по коридору, остановилась возле палаты номер одиннадцать и осторожно открыла дверь. Еще с порога она увидела *его*. Рыжая копна волос. Худое, бледное лицо. Довольно симпатичное и молодое, но осунувшееся и с большими темными кругами под глазами.

Впрочем, молодым его можно назвать с большой натяжкой. За восемнадцать лет беспробудного сна человек успел повзрослеть и превратиться из юноши в мужчину. Но сам он этого, конечно, не знал. И, скорей всего, никогда не узнает.

Коматозники редко приходят в себя после столь длительного сна. Обычно они умирают, не просыпаясь. Вот и этот пациент давно бы уже, наверное, умер, если бы не деньги, которые регулярно переводились на счет больницы его богатыми родственниками.

Деньги обеспечивали пациенту должный уход и тем самым продлевали ему жизнь. Разумно ли это? Для Лизы такой вопрос не стоял. Любой из нас может уснуть на недели, месяцы и даже годы, и каждый из уснувших заслуживает право на пробуждение.

Лиза вошла в палату, притворила за собой дверь и тихо подошла к кровати.

— Вот и я, — сказала она «спящему ухажеру».

— Пи-пи-пи-пи, — отозвался вместо него сердечный монитор, который вернее было бы назвать «бессердечным».

Лиза принялась за свою обычную работу. Раздела пациента, растерла физраствором его тело, перевернула, позаботилась о том, чтобы не было пролежней...

В палату заглянул Сева Канушкин, медбрат и друг Лизы, тайно (да что там тайно — вполне явно) в нее влюбленный. Что, впрочем, не мешало Севе обращаться к Лизе покровительственно-иронично, как старший насмешливый брат обращается к младшей недотепистой, но любимой сестре.

— Лиз, чего ты с ним возишься? — спросил, наверное, уже в сотый раз Сева. — Он все равно не оценит.

— Спорный вопрос, — возразила Лиза. — Однажды он проснется и скажет мне спасибо.

— Он никогда не проснется.

— Никогда не говори никогда, Сева.

Он криво ухмыльнулся.

— С каких пор ты стала такой остроумной?

— С тех пор, как стала общаться с тобой.

Сева ушел. Лиза снова посмотрела на лицо «спящего ухажера». Было в нем что-то... неземное.

В какой стране он сейчас блуждает? Какие видит сны? А может быть, это не сны, а совсем другая реальность? Вот бы посмотреть на то, что видит он, хотя бы одним глазком.

Лиза вздохнула и взяла со столика одноразовый шприц и ампулу с лекарством.

— Это снова золпидем, — прокомментировала Лиза пациенту свои действия. — Странно, конечно, что я колю вам снотворное, когда вы и так спите. Но два года назад этот препарат помог одному коматознику прийти в себя. Может, он и вам поможет?

Щелчок сломанной ампулы. Манипуляции со шток-поршнем. Укол. Привычные действия, отточенные до машинальности.

Сделав укол, Лиза бросила шприц и вату в урну и повернулась к окну. На улице было все так же пасмурно, как три последних дня, но сегодня солнце изредка пробивалось сквозь рыхлые тучи. Вот и сейчас луч осветил разводы на стекле, оставшиеся после недавнего дождя, и Лиза не удержалась от улыбки. И в эту самую секунду писк монитора вдруг участился, а за спиной у медсестры послышался легкий звук, похожий то ли на стон, то ли на вздох.

Лиза быстро обернулась. «Спящий ухажер», как и прежде, лежал на кровати, но веки и ресницы его едва уловимо подрагивали, словно он силился приоткрыть глаза.

* * *

Суматоху, которая последовала за воскрешением «спящего ухажера», трудно описать. Суетились все — взволнованные доктора, перепуганные медсестры, сбитые с толку санитары и даже ошалевшая от криков и грохота носилок уборщица.

— Срочно в реанимацию!

Но все рано или поздно заканчивается, и к вечеру жизнь клиники вошла в свое обычное русло. Лишь доктор Чурсин, заведующий больницей и лечащий врач «спящего ухажера», расхаживал по коридорам, не скрывая довольной улыбки и отдавая четкие распоряжения персоналу, то и дело потирал руки — как бы в предвкушении нового счастливого периода в своей жизни.

— Считай, диссертация теперь у него в кармане, — язвительно ухмыльнулся Сева после очередного появления доктора Чурсина.

— Не будь злопыхателем, — упрекнула его Лиза, сидя за столом и допивая вторую чашку подряд ванильного латэ.

Сева посмотрел на нее внимательно и хмуро.

— Как твой «спящий ухажер»? — тем же язвительным тоном поинтересовался он. — Уже сказал тебе спасибо?

— Он пока еще ничего не сказал, — ответила Лиза, не в силах погасить сияние глаз на усталом лице — так лампа светит сквозь запыленную ткань торшера. — Пытался, но не смог.

— Жаль. Вдруг он завтра снова уснет, не успев тебя поблагодарить и поцеловать в щечку.

Лиза насмешливо прищурилась:

— Ты, кажется, ревнуешь?

— Ревную? К нему? — Сева фыркнул. — Это все равно что ревновать к манекену.

— Он не манекен. Раньше ты мог так о нем говорить, но с сегодняшнего дня он живой человек — даже для тебя. И с каждым днем он будет оживать все больше. Доктор Чурсин сказал, что первый шок прошел и теперь с ним все будет хорошо.

— Ясно. — Сева отхлебнул цветочного чая и облизнул губы. — Слушай, может, сходим куда-нибудь поужинать? Тут неподалеку открылось новое кафе...

— Не получится, — ответила Лиза. — Я сегодня ночью остаюсь на дежурство.

— Как это? — не понял Сева. — У тебя же по плану...

— Я поменялась с Таней Самохиной.

— Зачем? — удивленно спросил Сева. Но тут же сам себе и ответил: — А, ясно. Чтобы быть поближе к своему ожившему манекену и наблюдать, как его дряблые члены наливаются жизненными соками?

Лиза наморщила нос:

— Фу, как это пошло.

— Говорю, как есть, — сухо отозвался Сева. — Слушай, Лиза, ты не можешь быть с ним рядом вечно. И без тебя есть кому за ним приглядеть. Ты же вторую ночь не спишь! Совсем себя загнать хочешь?

Лиза улыбнулась:

— Ничего, я двужильная.

— Ладно, как скажешь. — Сева вздохнул. — Хочешь, я сгоняю в магазин и куплю тебе чего-нибудь поесть?

Лиза покачала головой:

— Нет. Я уже купила булочки и «Доширак» в столовой.

Сева вздохнул:

— Н-да. Как сказал один мудрый человек, «здоровое питание — это обязательно профильтровать воду из-под крана перед тем, как заварить «Доширак». Слушай, Лизок, и почему ты только не толстеешь от такой еды?

— У меня повышенный метаболизм, — с улыбкой ответила Лиза.

Сева усмехнулся:

— Ладно. И все же будь поосторожнее с этим парнем. Он не твой сын. И не твой брат. Чем здоровее он будет, тем меньше станет нуждаться в тебе. Не забывай об этом. Иначе сердечной драмы тебе не избежать — поверь опытному человеку.

Когда Сева ушел, Лиза достала из стола булочку с изюмом и бутылку чая с персиковым нектаром. Поела, задумчиво глядя на стену с графиком дежурств. Но думала она не о графике, а о своем «спящем ухажере». Полтора года она ухаживала за ним, по нескольку раз в день меняла памперсы, растирала дряблые мышцы, ставила капельницы и уколы. Были у нее и другие пациенты, но о них Лиза заботилась машинально, «не подключая чувства», как сказал бы Сева.

Каждый день Лиза ждала, что ее пациет откроет глаза, каждый день с надеждой вглядывалась в его лицо — худое и одутловатое одновременно. И вот этот день настал. Чудо случилось, но Лиза не могла разобраться в своих чувствах. Душа ее словно онемела — быть может, от шока, быть может, еще от чего-нибудь.

Вполне возможно, что однажды он встанет на ноги и... покинет клинику? От этой мысли сердце Лизы сжалось.

«Нет, это не может закончиться, — сказала она себе. — А если закончится, то не так. Совсем не так».

Лиза вздохнула и поднялась из-за стола. Пора было проведать спящего пациента, который уже почти десять часов назад перестал быть спящим.

3

Прогрессировал пациент быстро. На второй день после пробуждения доктор Чурсин заметил, что глаза Андрея Темченко следят за ним. Доктор прошелся перед кроватью влево-вправо и убедился, что не ошибся. Он склонился над ними и громко и отчетливо спросил:

— Андрей, вы слышите меня?

Пациент едва заметно кивнул. Потом закрыл глаза и на дальнейшие вопросы не реагировал.

На третий день Темченко ответил на тот же вопрос доктора не только кивком — он смог произнести слово «да». Четвертый, пятый и шестой дни стали для Темченко временем настоящего возрождения — он научился складывать слова в фразы. К началу второй недели он ожил настолько, что доктор попытался втянуть его в диалог.

— Вы помните, как вас зовут?

— Андрей, — прошелестел в ответ пациент.

Доктор кивнул:

— Верно. А фамилия? Вы помните свою фамилию?

— Темченко.

На лице Чурсина появилась радостная улыбка — больной назвал свою фамилию, ни на секунду не задумавшись. Это был хороший признак.

— Вы помните, что с вами случилось?

Несколько секунд сосредоточенного молчания, а затем ответ:

— Нет. А что?

— Вы были без сознания.

— Да. Мне сказали. Как долго?

— Очень долго.

Темченко посмотрел доктору в глаза и уточнил:

— Сколько?

— Несколько... лет, — ответил Чурсин, слегка запнувшись.

Темченко закрыл глаза. Доктор подозвал Лизу и усадил ее рядом с кроватью. Когда веки Андрея снова приоткрылись, Чурсин сказал:

— Это ваша медсестра — Лиза. Последние полтора года она за вами ухаживала.

Темченко посмотрел на смущенную девушку, кивнул и закрыл глаза.

Еще через два дня между проснувшимся пациентом и доктором состоялся полноценный диалог.

— Только помните: долго говорить вам нельзя, — предупредил Чурсин, осмотрев Темченко и проверив его показатели. — Это может вызвать отек гортани.

— Долго не буду, — пообещал тот окрепшим голосом. — Я хочу знать, как это случилось? Как я попал сюда?

— Вас сбила машина, — ответил доктор.

Андрей облизнул сухие губы и спросил:

— Где это произошло?

— На Минском шоссе. Около леса.

На лице Темченко появилось удивление. Он разомкнул губы и пробормотал:

— Что я там делал?

— Точно я не знаю, — ответил доктор Чурсин. — Думаю, у вас заглохла машина. Вы ловили попутку, час был поздний, вокруг — лес... Ну, и угодили под колеса.

Некоторое время Темченко молчал, напрягая память, потом сказал:

— Я ничего не помню.

— Вы полторы недели как вышли из комы. Вполне вероятно, что память к вам вернется, но это произойдет не сразу.

— Ладно... Где мои родственники? Они пришли?

Чурсин и Лиза переглянулись.

— Вы их помните? — спросил доктор.

Темченко качнул головой:

— Нет.

— Ваша мать умерла при родах. А отец скончался от пневмонии вскоре после того, как вы впали в кому. Насколько я знаю, вас воспитывала бабушка.

— Где она?

— Ее тоже нет в живых. Уже шесть лет.

— Шесть? — Пациент пристально посмотрел на врача и прищурился. — Вы же сказали...

Чурсин смутился, поняв, что проговорился. Он снял очки и стал протирать платком стекла.

— Сколько я уже здесь, доктор? — спросил Темченко. — Только говорите правду.

— Восемнадцать лет.

Пациент закрыл глаза. Сердцебиение его участилось. Доктор дал знак Лизе, та кивнула и протянула руку к капельнице. Через пару минут, когда ритм сердца вернулся в норму, Чурсин осторожно спросил:

— Как вы себя чувствуете?

— Значит, мне сейчас сорок лет? — спросил пациент вместо ответа.

— Да.

— Боже...

Лиза тревожно посмотрела на врача. Тот сдвинул брови и поправил очки.

— Ко мне вообще кто-нибудь приходит? — спросил Темченко после паузы.

— Нет, но...

Чурсин запнулся, не зная, что сказать.

— Вам нужно отдыхать, — произнес он. — А мы пока постараемся найти кого-нибудь из ваших знакомых и друзей.

Доктор поднялся со стула.

— Постойте, — окликнул его пациент. — Принесите мне... газеты и журналы.

— Не думаю, что это хорошая идея.

Темченко усмехнулся.

— Не хотите, чтобы я волновался? Но я буду волноваться, если вы не принесете мне прессу.

— Хорошо, — нехотя сказал Чурсин. — Лиза об этом позаботится.

4

И она позаботилась. Подобрала все, что нужно — «Итоги», «Эксперт», «Аргументы и факты», «Московский комсомолец», «Мир новостей» и еще целую кипу разных изданий.

— Это газеты и журналы, которые вы просили, — сказала она, кладя внушительную стопку на тумбочку возле кровати. — Сейчас охранник принесет вам телевизор. Вам еще что-нибудь нужно?

Темченко не ответил. Глаза его были закрыты. Судя по всему, он уснул.

Лиза на цыпочках вышла из палаты. В коридоре она встретила доктора Чурсина.

— Лиза, идите домой и хорошенько выспитесь, — строго сказал он.

— Но...

— И никаких «но». Вам необходимо отдохнуть.

Лиза смущенно пожала плечами.

— Я могу поспать здесь.

— Не можете. Я вам это запрещаю. — Чурсин улыбнулся и добавил отеческим тоном: — Милая, пробуждение Андрея Темченко взволновало не только вас. Я понимаю, что вы привязались к этому пациенту за эти полтора года, но привязанность эта — односторонняя. Ему абсолютно все равно, кто за ним будет ухаживать — вы или другая медсестра.

— Я понимаю, — сказала Лиза. — Но это нужно *мне*.

Несколько секунд доктор смотрел на худое лицо девушки сквозь мерцающие стекла очков. Потом вздохнул и сказал:

— Жаль, что таких самоотверженных медсестер, как вы, мало на свете. Впрочем, через пару-тройку лет вы подрастеряете свой боевой задор и станете такой же равнодушной, как все остальные.

— Но ведь пока я такой не стала, — с робкой улыбкой проговорила Лиза.

— Да, — согласился Чурсин. — Пока не стали. Оставайтесь на ночь, раз вам так хочется. Я распоряжусь, чтобы вам оплатили это дежурство.

Вскоре Лиза вернулась в палату и села на стул рядом с кроватью. Андрей Темченко дышал спокойно и ровно, хотя на лице его застыло странное выражение, в нем можно было прочесть и страдание, и испуг.

А потом он начал что-то бормотать во сне. Лиза прислушалась.

— Я приду за тобой... — прошептали его губы. — Я приду за тобой...

Темченко открыл глаза и уставился в темный потолок. Облизнул кончиком языка сухие губы. Скосил глаза на Лизу и сипло проговорил:

— Мне снился кошмар.

— Да, я поняла. — Она утешающе улыбнулась. — Вы стонали во сне.

Андрей снова перевел взгляд на потолок. Он долго рассматривал бесчисленные отверстия в звукопоглощающем покрытии вверху. Потом сказал с легкой усмешкой:

— Наверное, через эти дыры они и улетают.

— Кто? — не поняла Лиза.

— Души. — Он посмотрел на нее блестящими глазами. — Души умерших!

Темченко засмеялся, но тут же закашлялся. Лиза промокнула ему салфеткой губы.

— Вы побудете здесь? — спросил он, справившись наконец с кашлем.

— Да. А вам лучше еще поспать. Время ночное, и вы...

Договорить она не успела. Что-то мягко постучало в оконное стекло.

Лиза и Андрей вздрогнули и повернули головы в сторону окна. Стук повторился.

— Вы это слышали? — хриплым испуганным шепотом спросил Андрей. — Стук в окно!

— Да.

Лиза поднялась со стула и подошла к подоконнику. Вгляделась в ночную улицу, тускло освещенную одиноким фонарем. Сначала она ничего не увидела. Хотела отвернуться, но тут по стеклу снова застучали — тук-тук-тук.

Лиза вздрогнула, сердце ее учащенно забилось.

— Кто там? — спросила она.

Фонарь замерцал, и в его неверном свете Лиза увидела несколько больших белых бабочек, бьющихся о стекло.

— Боже, — облегченно выдохнула она. — Всего лишь мотыльки.

— Что там? — испуганно спросил Темченко.

Она повернулась к нему и с улыбкой ответила:

— Ночные мотыльки. Наверное, чувствуют приближение грозы.

Она услышала, как он вздохнул.

— Восемнадцать лет назад... Господи, неужели прошло восемнадцать лет?

Лиза вернулась к кровати и села на стул. Андрей посмотрел на нее и проговорил:

— Я был не один. Там, в лесу. Кто-то был со мной! И это... Это очень важно.

Лиза улыбнулась и хотела сказать что-нибудь утешающее, но в эту секунду ей показалось, будто кто-то заглянул в окно палаты. Она быстро обернулась. В окне никого не было. Да и не могло быть — в такой-то поздний час.

— Что случилось? — встревоженно спросил Андрей и даже приподнял голову с подушки. — Вы что-то увидели?

— Нет, — ответила она. И повторила чуть увереннее: — Нет. Наверное, опять мотыльки. — Лиза через силу улыбнулась и постаралась сменить тему разговора. — Скоро вы станете настоящей звездой, — сказала она.

— Звездой? — не понял Темченко.

— Журналисты любят истории, подобные вашей. Ведь это такая редкость! И радость!

— Радость... — глухо повторил он. И усмехнулся. — Я не уверен, что рад. У меня много вопросов и ни одного ответа. Я не помню, как оказался в том лесу. На той дороге. Но я знаю, что это было очень важно.

— Вы вспомните, — ободряюще сказала Лиза. — Вы обязательно все вспомните. Доктор в этом не сомневается, а значит, и вам не стоит.

Андрей Темченко вздохнул и оглядел палату.

— Судя по всему, это дорогая клиника. Кто оплачивает мое лечение? — спросил он.

— Не знаю, но...

— Но?

— У вашей бабушки был какой-то большой бизнес. Думаю, что после ее смерти все деньги стали вашими. Сегодня утром к вам просился один мужчина... не то адвокат, не то управляющий. Но доктор Чурсин его не пустил. Сказал, что вам рано заниматься делами.

Уголки губ Андрея дернулись.

— Значит, я богат? — спросил он с иронией.

— Наверное.

Взгляд Темченко упал на стопку журналов и газет.

— Совсем забыл... Лиза, я хотел вас кое о чем попросить.

— О чем?

— Сверху лежит журнал. Уголок одной страницы загнут. Откройте его, пожалуйста.

Лиза взяла журнал и раскрыла.

— Видите статью про убийц-маньяков?

— Да.

— Посмотрите на имя журналиста. Оно внизу, сразу после статьи. Видите?

Она нашла подпись и прочитала вслух:

— Глеб Корсак.

— Да. — Андрей сглотнул слюну. — Мне знакомо это имя. Не помню откуда, но я его знаю.

— Вы начинаете вспоминать прошлое? — обрадовалась Лиза. — Отличная новость! Я скажу об этом Евгению Борисовичу.

Темченко приподнял руку и сделал останавливающий жест. Лиза замолчала.

— Вы... можете позвонить в редакцию и узнать?

— Что именно? — не поняла она.

— Как связаться с этим... Глебом Корсаком. Быть может, он что-то знает обо мне?

— Не уверена, что в редакции захотят со мной говорить, — с сомнением произнесла она. И поспешно добавила: — Но я попробую.

— Хорошо, — выдохнул Андрей. — Спасибо.

Разговор вымотал его, и он снова утомленно закрыл глаза. Лиза немного посидела рядом, а когда поняла, что дышит он ровно и спокойно, потихоньку поднялась со стула и бесшумно вышла из палаты.

— Глеб Корсак... — прошептал во сне Темченко. — Колдовство существует, Глеб... Колдовство существует.

Глава 2

●

РАЗДВОЕНИЕ

1

В комнате было жарко, хотя работал кондиционер. Игроки играли сосредоточенно, почти не пили алкогольных напитков и не разговаривали на посторонние темы, стараясь в любой ситуации сохранять «покер-фэйс». Время от времени раздавались короткие отрывистые реплики:

— Колирую... Олл-ин... Чек... Ставлю двести... Карманная пара... Стрит...

Бадри Гурамов, двадцатипятилетний чернявый детина, одетый в дорогой костюм, с ненавистью посмотрел на человека, который сидел за игральным столом прямо напротив него. Гурамов хотел что-то сказать, но сдержался. Кавказская горячность вступила в противоречие с необходимостью сохранять «покер-фэйс», и на этот раз проиграла.

Человека, сидевшего напротив Бадри, звали Глеб Корсак. Это был худощавый мужчина лет тридцати пяти на вид, темноволосый, красивый, с насмешливыми карими глазами и жесткой линией рта. Одет он был дорого, но небрежно, как одеваются успешные художники или писатели.

Глеб Корсак внимательно наблюдал за Бадриком, который делал ставку за ставкой и неизменно проигрывал. Нервный блеск в глазах, подергивание рта, манера облизывать губы — все это были приметы, по которым Глеб почти безошибочно мог угадать, какая комбинация пришла Гурамову.

После очередного проигрыша парень прохрипел какое-то ругательство на грузинском. Глеб, никак на это не отреагировав, сгреб к себе выигранные фишки.

— Ничего, будет и на моей улице праздник, — пробурчал Бадри, пытаясь сохранить невозмутимое лицо, хотя в душе у него бушевал адский огонь.

Корсак равнодушно пожал плечами. Бадрик подозвал официанта и коротко приказал:

— Две порции молта!

Официант кивнул и вскоре принес ему стакан «Хазельберна»[1] на белой салфетке. Бадрик залпом выпил его. Швырнул стакан официанту и посмотрел на Глеба.

— Вам опять повезло, Корсак! — сказал он. — Но когда-нибудь полоса везения закончится.

---

[1] «Хазельберн» — сорт виски. (*Прим. ред.*)

— Когда-нибудь все заканчивается, — невозмутимо изрек Глеб.

И едва заметно усмехнулся. Корсак понял, что противник готов его убить. И убил бы — будь у него под рукой оружие. Однако он и на этот раз смог взять себя в руки.

Парень явно плохо кончит, подумал Глеб. Но не сегодня. Сегодня Бадрику Гурамову должно повезти. Пожалуй, ему повезет прямо сейчас.

Игра продолжилась. После объявления Глебом очередной ставки противники один за другим сбросили карты, и только Бадри остался в игре.

— Ставлю все, что есть, — просто сказал Глеб.

— Поддерживаю! — прорычал парень.

— Бадри Шалвович, не надо, — тихо сказал ему приятель, который давно скинул свои карты.

— Отстань, — рявкнул на него Гурамов. — Кто не рискует, тот не пьет шампанское, правда ведь, господин Корсак?

— Из тех, кто рискует, тоже мало кто получает шампанское, — ответил Глеб.

Он исподволь глянул на парня. Язык у того прошелся по губам, пальцы легонько пристукнули по столешнице, обитой зеленым сукном. Глеб понял, что Бадрик блефует.

На руках у Корсака были два туза и две семерки.

— Вскрываемся, — сказал он.

Бадрик судорожно перевернул карты.

— Пара на королях! — выпалил он и выжидательно посмотрел Глебу в глаза.

— Пара на семерках, — сказал тот, выкладывая свои карты.

Пасмурное лицо Бадрика просияло. Похоже, он не верил своему везению.

— А говорили, что никогда не проигрываете! — не скрывая своего торжества, воскликнул Бадри.

— Иногда и самые сильные игроки проигрывают, — невозмутимо отозвался Глеб.

Он встал из-за стола.

— Спасибо за игру, господа.

— Вы проиграли! — воскликнул Гурамов, чуть не смеясь от счастья. — Знаменитый везунчик Глеб Корсак проиграл! И проиграл мне — Бадрику Гурамову! Так кто из нас настоящий везунчик?

Вопрос явно был риторический, и Корсак не счел нужным на него отвечать.

Попрощавшись с игроками, он накинул плащ и вышел на улицу.

2

Погода не радовала уже четвертый день. Дул ветер, в лужах поблескивали фонари. Глеб подошел к припаркованному у обочины «Лексусу». Стекло опустилось, и он увидел знакомое лицо.

Пожилой мужчина достал из внутреннего кармана пальто конверт и протянул его Глебу.

— Эта сумма перекрывает ваш проигрыш в два раза, — сказал он с легким кавказским акцентом. — Можете пересчитать.

— Нет смысла, — ответил Глеб и убрал конверт в карман.

— Спасибо, что согласились помочь, Глеб Олегович.

— Пожалуйста. — Корсак посмотрел на жесткое, испещренное глубокими морщинами лицо бывшего вора в законе, а ныне депутата Госдумы. — Шалва Георгиевич, можно спросить — зачем вам это понадобилось?

— Бадрик все равно будет играть, — ответил депутат не без горечи. — Но сегодня у моего мальчика день рождения. Ему исполнилось двадцать пять лет.

— Значит, это подарок?

— Да. Я хочу, чтобы он был счастлив — по-настоящему счастлив. Хотя бы сегодня.

— Странный способ сделать человека счастливым, — сказал Глеб. — К тому же до утра еще далеко. Ваш сын может спустить все, что «выиграл».

— Я прослежу, чтобы он этого не сделал.

Корсак собрался распрощаться, но депутат Гурамов снова заговорил:

— Глеб Олегович, я слышал, что в последнее время вы себя неважно чувствуете. Говорят, после недавней травмы головы вас мучают сильные боли.

— Кто вам сказал? — поинтересовался Глеб.

— Неважно. Просто я хотел по-дружески вам предложить: если нужны европейские врачи или клиники...

— Спасибо, со мной все в порядке.

Несколько секунд депутат испытующе смотрел на журналиста, затем улыбнулся и вежливо произнес:

— Да, конечно. Разумеется. Всего вам доброго, Глеб Олегович! И берегите себя!

— Вы тоже.

Тонированное стекло «Лексуса» скрыло лицо депутата. Машина мягко тронулась и, быстро набирая скорость, покатила прочь от клуба.

Глеб повернулся и зашагал к своей «бэхе». В салоне он включил «Радио Джаз» и закурил электронную сигарету.

— Зря ты с ним связался, дружище, — сказал человек, сидящий рядом.

Глеб хмуро на него покосился. Он готов был поклясться, что еще несколько секунд назад никого на соседнем сиденье не было.

— И вообще все это дело дурно попахивает, — продолжил человек, расположившийся рядом. — Помнишь, ты когда-то писал статью про чемпиона мира по боксу, которому предложили «лечь под противника». В той статье ты назвал его «проституткой». Тебе не кажется, что ты поступил точно так же?

— Нет, не кажется. Это не одно и то же.

Человек хмыкнул.

— Слухи о твоей «болезни» распространяются слишком быстро. Скоро вся Москва будет знать, что ты сумасшедший. И что тогда?

— Лягу в клинику, а когда выйду, напишу «Палату номер шесть» или «Записки из мертвого дома».

— Все шутишь? — Собеседник саркастически хмыкнул. — Не надоело? Послушай, дружище...

— Помолчи, — велел Глеб. — Тебя не существует. Ты — моя галлюцинация.

— Да ну? — Двойник криво ухмыльнулся. — А машина, в которой ты сидишь? А город, по которому ты ездишь? Откуда ты знаешь, что все это существует в реальности и не исчезает, когда ты засыпаешь?

— Дешевый солипсизм.

— И все же я здесь. И ты со мною разговариваешь.

— Ты прав. Но сейчас я положу этому конец.

Глеб достал из внутреннего кармана пиджака флакон с таблетками. Двойник посмотрел, как он вытряхивает пилюлю на ладонь, и сказал:

— Это ни к чему не приведет.

— Это приведет к тому, что ты исчезнешь.

— Да, но не навсегда. Лишь на время.

— Меня это устраивает. В жизни ничего не бывает «навсегда».

Глеб забросил таблетку в рот и, сделав усилие, проглотил ее. Закрыл глаза и пару минут посидел молча и неподвижно. Затем открыл глаза и посмотрел на соседнее сиденье. Там никого не было.

Глеб облегченно перевел дух. Затем достал телефон и набрал номер своего психиатра. Тот отозвался после двух гудков.

— Доктор Макарский слушает.

— Виктор, это опять произошло.

— Глеб? — Психиатр выдержал паузу. — Ты видел своего двойника?

— Да. И на этот раз не только видел, но и говорил с ним. — Корсак набрал в легкие воздуха, мысленно досчитал до трех, успокаивая сердцебиение, затем выдохнул: — Скажи мне честно, Витя, я сумасшедший?

— Нет, Глеб, ты не сумасшедший. Это все — последствия стресса.

— А разве не из-за стрессов люди сходят с ума? Я разговариваю со своим двойником. Любой нормальный психиатр сказал бы, что я свихнулся.

— Я нормальный психиатр, и я говорю тебе, что это пройдет.

— Ты мой друг и ты меня щадишь. Я глотаю таблетки уже неделю, а прогресса нет.

— Я говорил тебе: одних таблеток мало. Ложись в клинику, Глеб! Пойми, ты нуждаешься в отдыхе! Твой мозг нуждается в отдыхе!

— Мне нужен еще один стресс.

— Что?

— Клин клином вышибают.

— Глеб, больных людей не лечат стрессами.

— Теперь лечат. Это новая методика.

— Чья?

— Моя. И Ницше. «То, что нас не убивает, делает нас сильнее».

— Твой Ницше был изрядной скотиной, — заявил Макарский.

— Да, но умной скотиной. И я доверяю ему больше, чем тебе.

— Глеб, не сходи с ума!

— Поздно, Витя. Уже сошел.

Корсак отключил телефон. Посидел немного молча, потом тихо окликнул:

— Эй! Ты еще здесь?

Никто не ответил. Он вздохнул и удовлетворенно сказал:

— Вот и хорошо. Надо чего-нибудь пожевать.

Затем повернул ключ зажигания и тронул машину с места.

Полтора часа спустя Корсак сидел в глубоком кресле перед пылающим вирт-камином. На журнальном столике — бутылка водки, бутылка тоника, чашка со льдом и блюдце с ветчиной и бужениной. В руке — стакан с холодным коктейлем.

За окнами все еще царила тьма, хотя через пару часов должно было рассвести. Сиамский кот Самурай, умолотив несколько кусков ветчины, сидел на подлокотнике кресла в величественной позе сфинкса. Кот был доволен и сыт, Глеб — тоже, хотя на душе у него было мрачновато.

Телевизора в доме он не держал, и его это вполне устраивало. Обычно он предпочитал тишину самому изысканному шуму, но сейчас не отказал себе в удовольствии послушать перед сном хорошую музыку. Выбор пал на «Tutu», предпоследний студийный альбом Майлза Дэвиса.

Слушая холодновато-меланхоличные звуки трубы Дэвиса и потягивая водку с тоником, Глеб размышлял о том, что жизнь при всей ее паршивости иногда бывает вполне сносной штукой. Даже сейчас, когда, снова оставшись один, он привыкает к статусу старого холостяка. Привыкает... и не может привыкнуть.

Допив коктейль, Корсак решил смешать себе еще один, но, едва он потянулся к бутылке, как телефон на журнальном столике отчаянно завибрировал, привлекая его внимание.

Глеб не без досады отставил бокал и взял мобильник.

— Слушаю, — буркнул он в трубку.

— Журналист Глеб Корсак?

— Да.

— Ваш номер мне дали в редакции журнала. Меня зовут Евгений Борисович Чурсин. Я врач.

— У меня уже есть врач, — сказал на это Глеб. — Всего доброго!

Он прервал связь и бросил телефон на столик. Снова потянулся за бутылкой, однако звонивший не собирался сдаваться без боя. Телефон завибрировал с еще большим энтузиазмом. Самурай открыл глаза и с упреком мяукнул.

— Ладно тебе вякать, — сказал ему Глеб. — Сейчас отвечу.

Он вздохнул и взял трубку.

— Да.

— Это опять доктор Чурсин. Простите, я не успел объясниться. Вы знакомы с Андреем Темченко?

— Нет.

— Странно.

— Почему?

— Он назвал вашу фамилию.

— Ее многие знают.

Собеседник, сбитый с толку, несколько секунд молчал. Потом решил зайти с другого бока.

— Простите, я снова не с того начал. Андрей Темченко — мой пациент. Он провел в коме много лет, а сегодня утром пришел в себя.

— А такое бывает? — небрежно осведомился Корсак.

— Редко, но бывает.

— Ладно. А я-то тут при чем?

— У моего пациента амнезия. До сегодняшней ночи он не помнил ничего, кроме своей фамилии. А сегодня он вспомнил вашу.

Глеб посмотрел на бутылку с водкой и досадливо поморщился. Было очевидно, что доктор Чурсин ждет от него каких-то разъяснений, но он не собирался никому ничего разъяснять.

— Прошу прощения, но я... — начал было он, однако доктор его перебил:

— Глеб Олегович, вы можете приехать?

Корсак слегка опешил.

— Когда? — растерянно спросил он.

— Когда сможете. Но чем быстрее, тем лучше.

Глеб задумался.

— Хорошо. Я буду у вас ровно в полдень. Называйте адрес.

Чурсин продиктовал адрес. Глеб сказал, что запомнил, попрощался и положил трубку. После чего сделал музыку погромче и смешал себе новый коктейль.

3

Евгений Борисович Чурсин, высокий, сутуловатый, в белом халате и очках в золотой оправе, неторопливо прохаживался перед кроватью, в которой сидел, навалившись спиной на подушки, Андрей Темченко.

— Восемнадцать лет назад вы попали под грузовик, — вещал доктор. — Он переломал почти все ваши кости.

— Но вы же их «склеили»!

Чурсин строго взглянул на пациента сквозь стекла очков и сказал:

— Милый мой, вы восемнадцать лет находились без движения. Ваши кости стали хрупкими, но это еще полбеды. В ваших суставах и сосудах за это время произошли патологические изменения.

— Да, вы об этом уже говорили. Скажите лучше, я стану здоровым? У меня есть шансы?

— Есть. Но немного.

— Спасибо за прямоту.

Доктор остановился и поправил пальцем очки.

— Резервы вашего организма велики, но не безграничны. Восстановление будет тяжелым и болезненным. Если случится закупорка сосудов или даже простая кишечная инфекция — вы можете умереть.

— Я чувствую себя намного лучше, чем пару дней назад, — возразил Темченко. — Завтра или послезавтра могу попробовать встать на ноги.

— На ноги? — Чурсин усмехнулся. — Хорошо. Я вам докажу. Вытяните руки перед собой. Да-да, просто вытяните, смелее!

Темченко поднял руки и вытянул их перед собой. Однако продержать их так смог не больше пяти секунд, после чего они упали на одеяло.

— Вот видите, — произнес доктор без торжества, но с легким упреком. — Все должно происходить постепенно. Считайте, что вы заново родились на свет меньше двух недель назад. Разве двухнедельный младенец пытается встать на ноги?

— Мне сорок лет, — хмуро сказал Темченко.

Доктор вздохнул.

— Что ж... Вижу, вы очень упорный человек. Хорошо, завтра мы начнем курс мышечной реабилитации. Но главное ваше правило — постепенность. Никаких резких движений. Никакой самодеятельности. Все должно идти по намеченному плану. Вы меня поняли?

— Понял.

— Ваша новая жизнь только начинается. Вы будете заново учиться ходить, садиться, вставать, водить машину, накачивать мускулы... Не торопить события, но и не терять веру. Вы поняли, что я сказал?

Темченко вздохнул.

— Понял, доктор. Я не дегенерат.

— Станете дегенератом, если попытаетесь форсировать события, и наживете себе осложнения. А пока...

Дверь кабинета приоткрылась.

— Евгений Борисович? — услышали они голос Лизы.

— Что там еще? — обернулся Чурсин.

— Можно вас?

— Да, сейчас. — Доктор снова взглянул на Темченко. — Никакой самодеятельности! — повторил он. И вышел из палаты.

В коридоре Лиза дождалась, пока он прикроет за собой дверь, и сказала:

— Евгений Борисович, пришел журналист, которому вы звонили. Глеб Корсак.

— Пришел? Отлично! Где он?

— Вон — сидит в кресле. Я позволила ему пройти.

— Хорошо. Пойду его подготовлю.

Доктор сунул руки в карманы халата и зашагал к Глебу. Тот, завидев Чурсина, поднялся ему навстречу.

— Глеб Олегович? — с улыбкой осведомился доктор.

— Да. Ваш пациент хотел меня видеть.

— Да-да, сейчас я вас к нему проведу! — кивнул доктор и пожал журналисту руку.

Глеб достал из кармана электронную сигарету и сунул в рот.

— Простите, но у нас нельзя курить, — сказал Чурсин.

— Она электронная.

— Даже электронные.

Глеб молча убрал сигарету обратно в карман и вопросительно посмотрел на врача.

— Перед тем, как вы встретитесь, я должен кое-что вам объяснить, — сказал тот. — Пациент Андрей Темченко всего одиннадцать дней назад вышел из комы.

— Вот как, — неопределенно проговорил Корсак. — И сколько он спал?

— Восемнадцать лет.

Лицо Глеба вытянулось.

— Сколько-сколько?

— Восемнадцать лет, — повторил Чурсин. — Он впал в кому после того, как его сбила машина. Случилось это на трассе, вокруг лес. Темченко получил множественные переломы. У него было сотрясение мозга и еще много чего.

— Сочувствую парню. Но почему он позвал меня?

— Дело в том, что он почти ничего не помнит о своей жизни до аварии. Ваше имя было вторым, которое он вспомнил — после своего собственного.

Глеб задумчиво сдвинул брови.

— Он говорил, откуда меня знает?

Доктор покачал головой:

— Нет. Он помнит только ваше имя — Глеб Корсак.

— Уверен, что я не единственный Глеб Корсак на свете.

— Да, но он попросил позвать именно вас. — Чурсин улыбнулся. — Он увидел вашу фамилию под журнальной статьей.

— Хорошо, что не на заборе, — заметил Глеб. — И чего ему от меня нужно?

— А разве это не очевидно? Андрей Темченко пытается вернуть себе воспоминания.

— С моей помощью?

— Да. — Доктор выжидательно посмотрел на Глеба. — Подумайте. Припомните. Быть может, вам знакомо его имя? Андрей Темченко.

— Похоже, моя память тоже не совсем в порядке, — иронично произнес Корсак.

— Ладно, — смирился Чурсин. — Но вам все равно следует с ним поговорить. На беседу у вас есть пять минут. Не больше. Пациент еще слишком слаб.

— Думаю, мне хватит и минуты, — ответил Глеб. — Куда идти?

Когда Глеб вошел в палату, Андрей Темченко был там не один. Рядом с его кроватью сидела на белом табурете молоденькая медсестра, хрупкая, похожая на подростка. У нее было усталое лицо с правильными, тонкими чертами и большие зеленые глаза. Завидев Глеба, она хотела подняться с табурета, но пациент удержал ее за руку.

— Подождите, Лиза. Останьтесь.

Девушка покраснела и бросила на Глеба смущенный взгляд.

— Но вам ведь нужно поговорить.

— Вы нам не помешаете, — тихо произнес Темченко.

Он посмотрел на вошедшего.

— Вы Глеб Корсак?

— Точно, — кивнул тот. — А вы Андрей Темченко?

— Верно. — Рыжий мужчина слабо улыбнулся сухими, бесцветными губами. — Я видел вашу статью. И подпись под ней.

— И как вам статья?

— Не знаю, не читал.

— Значит, вас вдохновила подпись? Я всегда говорил, что мне повезло с именем и фамилией, — ухмыльнулся Глеб.

Темченко тоже попытался улыбнуться, но улыбка вышла вялой и ненатуральной.

— Мне не так сильно повезло, — сказал он, — судя по тому, что вы меня не помните. Не против, если мы перейдем на «ты»? Мы ведь, наверное, ровесники.

— Наверное, — согласился Глеб. — Хотя выглядишь ты намного младше.

Корсак покривил душой, поскольку выглядел его собеседник странновато. Андрей Темченко напоминал внезапно постаревшего мальчика, или, скорей, юного актера, на лицо которого наложили небрежный грим в виде россыпи страдальческих морщинок.

— Да уж, моложе. — Темченко усмехнулся и с горечью проговорил: — Я все никак не могу привыкнуть к тому, что мне почти сорок лет. Ведь еще несколько дней назад мне было всего двадцать два.

— Странное, наверно, ощущение.

— Не то слово. Садись на стул!

Глеб подошел к кровати и уселся на белый венский стул.

— Телевизор уже смотрел? — поинтересовался он у пациента.

— Да, — ответил тот.

— И как тебе наш мир? Впечатляет?

— Скорее, пугает. Компьютеры, сотовые телефоны, крутые тачки, заграничные товары в свободном доступе... Все это похоже на фантастику. Если, конечно, телевизор не врет и показывает правду.

— Он не врет, — сказал Глеб. — Товаров действительно много. А вот хороших людей мало. Впрочем, они всегда были в дефиците.

Глеб потянулся к карману пиджака за электронной сигаретой, но вспомнил, что в больнице курить нельзя, и со вздохом положил руку на колено.

Все это время пациент наблюдал за ним изучающим взглядом.

— Откуда я тебя знаю? — спросил он наконец.

— Сам скажи, — отозвался Глеб небрежно.

Некоторое время оба молчали, разглядывая друг друга. Первым молчание прервал Темченко.

— Кажется, я вспомнил. — Он снова внимательно вгляделся в лицо Корсака. — Школа, да? Ведь это было в школе? Ты тоже там учился, верно?

— Все мы учились в школе, — ответил Глеб. — Этой пытки не удалось избежать никому.

— Ты меня не помнишь? Совсем не помнишь?

Корсак молчал, и, казалось, что смотрит он не на взволнованное лицо пациента, а куда-то мимо.

— Я Андрей Темченко! Ты звал меня Тьмой! Глеб, ты правда меня не помнишь?

Корсак вздохнул.

— Помню. Конечно, помню. Ты — тот ненормальный мальчишка, который воображал себя колдуном.

— Верно! — Андрей облегченно улыбнулся. — Значит, я не ошибся. Это радует.

— А я рад, что смог тебя повеселить, — сказал Глеб.

Они помолчали, продолжая разглядывать друг друга.

— Значит, ты теперь журналист? — снова заговорил Темченко.

— Угу.

— Расскажи мне.

— О чем?

— Обо мне.

Глеб пожал плечами:

— Да нечего рассказывать. Мы с тобой не виделись с самой школы. То есть уже лет двадцать пять.

— Для меня прошло всего пять лет, — тихо произнес Темченко.

— Ну, значит, тебе и карты в руки. — Глеб пожал плечами. — Мне правда нечего тебе сказать. Прости.

Дверь приоткрылась, и в палату заглянул доктор Чурсин.

— Пора заканчивать разговор, — строго сказал он.

— Доктор, еще немного, — попросил Темченко. — Пожалуйста.

— Но...

— Пару минут, — взмолился Андрей. — Иначе я не смогу уснуть.

— Хорошо. Глеб Олегович, зайдите потом ко мне в кабинет, если вам не трудно. Это прямо по коридору, а потом налево. Если заблудитесь, вам любой покажет.

— Хорошо.

Доктор скрылся из вида, плотно притворив за собой дверь.

Темченко несколько секунд молчал, собираясь с духом. Потом заговорил спокойным голосом, в котором чувствовалось сдерживаемое напряжение.

— Восемнадцать лет назад я попал под машину, когда выбежал из леса.

— Не повезло, — сказал Глеб. — А что ты делал в лесу?

— Не помню. Но это было важно. Очень важно.

— Сочувствую.

Темченко стиснул зубы, отчего желваки на его скулах напряглись, а потом заявил, повысив голос:

— Ты журналист.

— Правильный диагноз, — кивнул Глеб.

— И специализируешься на криминальной теме.

— Снова в точку.

— Значит, у тебя есть связи?

Корсак усмехнулся:

— Если ты про «порочные», то их у меня полно.

Темченко вяло улыбнулся — скорее, из вежливости.

— Глеб, что-то произошло восемнадцать лет назад, — продолжил он. — Что-то очень важное. И я хочу знать — что именно. Ты можешь выяснить, где именно это было?

— Наверное.

— А ты можешь... туда съездить?

Корсак чуть прищурил золотисто-карие глаза, отчего лицо его стало холодным и неприветливым.

— Смелая просьба, — сказал он. — И чего ради я это должен делать?

Темченко помолчал. Потом облизнул губы и заговорил снова, на этот раз гораздо сбивчивее, чем прежде.

— Мне снятся кошмары, Глеб. И будут сниться до тех пор, пока я не узнаю, что случилось тогда в лесу.

При упоминании о кошмарах лицо Глеба слегка потемнело.

— Что конкретно тебе снится? — спросил он.

— Что-то страшное. Будто бы в этом лесу происходит что-то неправильное. То, что разрушит мою жизнь. И... и не только мою. Мне снится, что я должен это остановить. И не только ради себя.

Глеб хмыкнул.

— Интрига. Это хорошо. Но я сейчас слишком занят. К тому же я с опаской отношусь к лесу. Я давно предпочитаю каменные джунгли настоящим, Андрей.

Темченко прищурился.

— Ты назвал меня по имени, Глеб.

— И что?

— Ничего. Но мне это нравится. Послушай, мне сказали, что я очень богат.

— Сочувствую.

— Что, если я тебе заплачу? Я советовался с нашей медсестрой, и она сказала, что две тысячи долларов — это очень хорошие деньги.

— Для медсестры — возможно, — отозвался на это Глеб.

— Ясно, — пробормотал Темченко. — Тогда как насчет пяти?

— Только за то, что я выясню, где тебя сбила машина, и наведаюсь в то место?

— Да.

— Интересное предложение. Я над ним подумаю. — Глеб поднял руку и взглянул на циферблат часов. — А сейчас мне пора. Выздоравливай!

Корсак встал и повернулся к двери.

— Подожди, — окликнул его Темченко.

Журналист остановился и взглянул на больного через плечо. Тот смотрел на него пристальным взглядом.

— Глеб, ты по-прежнему думаешь, что мы не причастны к ее смерти?

— К чьей?

— Химички. Ты правда думаешь, что мы не виноваты?

Некоторое время Глеб задумчиво смотрел на бывшего одноклассника, потом разлепил губы и небрежно обронил:

— До встречи, Тьма.

Отвернулся и молча вышел из палаты. Темченко закрыл глаза.

Снова он их открыл только через пять минут.

— Лиза?

— Да, Андрей.

— Я забыл, что вы еще здесь.

— Вы сами попросили меня остаться.

Он улыбнулся:

— Да, помню. Простите, что вам пришлось выслушать весь этот бред.

— Ничего. Как вы себя чувствуете?

— Нормально. Только немного устал. Я, пожалуй, посплю.

— Хорошая идея, — улыбнулась Лиза и встала с табурета. — Если понадоблюсь — нажмите на кнопку.

4

Корсак стоял на площадке между лестничными пролетами и курил электронную сигарету, задумчиво поглядывая в окно. Погруженный в свои размышления, он не услышал, как дверь у него за спиной тихо открылась и к нему подошла девушка и встала рядом.

— Глеб!

Корсак вздрогнул и посмотрел на Лизу.

— Простите, я забыла ваше отчество...

— Обойдемся без отчеств.

— Я хотела...

— Отличная штука эта электронная сигарета. — Глеб затянулся и выпустил бледно-голубое облачко. — Можно регулировать потребление никотина. А вместо дыма идет обычный безвредный пар. Хотите попробовать?

— Нет, — сказала она. — Вы правда его вспомнили?

— Андрея Темченко?

— Да.

— Конечно. Разве я похож на сумасшедшего фантазера, придумывающего себе друзей детства?

— А разве нет? — услышал он знакомый голос.

Глеб покосился на худощавую фигуру в сером плаще, стоящую у стены. Всклокоченные темные волосы, горбинка на носу, ироничные карие глаза. В насмешливо искривленных губах дымится сигарета. Не электронная — настоящая.

«Я тебя не слушаю, — мысленно сказал Глеб своему двойнику. — Пошел прочь!»

— Прости, я не расслышал, — глумливо проговорил тот. — Думай, пожалуйста, погромче. А лучше — скажи это вслух.

«Хочешь, чтобы меня приняли за сумасшедшего?»

— А ты все еще думаешь, что ты нормальный?

Глеб побледнел, но сохранил невозмутимое выражение лица и, глубоко затянувшись, выпустил облачко пара в лицо своему двойнику.

— Простите, вам плохо? — тревожно спросила Лиза, заметив его бледность.

Глеб тряхнул головой, пытаясь прогнать наваждение.

— Нет... — пробормотал он. И повысил голос: — Я в норме. Так о чем вы хотели рассказать?

— Я... хотела... — Она снова сбилась. — Я хотела поговорить об Андрее Темченко. Видите ли, во сне он часто стонет и бредит.

— Его можно понять, — сказал Глеб.

— Во сне он бредит, — повторила медсестра. — И все время бормочет: «Я за тобой вернусь, я за тобой вернусь». А однажды даже крикнул: «Я уже здесь!» И голос у него при этом был какой-то... странный.

— Странный?

— Да. Как будто чужой.

— В этом нет ничего необычного. Многие люди разговаривают во сне, и голоса их при этом всегда звучат странно.

Лиза вздохнула.

— Да, я знаю. Но все же... Когда он это кричал, все его показатели зашкаливали. Пульс, давление, частота дыхания... Он переживал во сне настоящий ужас.

Внезапно Лиза подалась вперед, положила Глебу ладонь на предплечье и крепко сжала его.

— Прошу вас, помогите ему! — взволнованно сказала она, глядя в глаза Корсаку. — Помогите!

Двойник, стоявший в углу с сигаретой в руке, оскалил зубы в усмешке.

— Кажется, девочка всерьез запала на этого мумифицированного придурка.

— Перестань, — вслух сказал ему Глеб.

— Что? — встревожилась Лиза.

— Ничего, — ответил Глеб.

Он постарался не смотреть на двойника. Электронная сигарета в его пальцах слегка подрагивала, и двойник заметил это.

— Слушай, хватит сосать этот никотиновый суррогат! — продолжил потешаться тот. — Что может быть лучше настоящего табака!

Двойник жадно затянулся своей сигаретой и выпустил густой клубок дыма. Глеб жадно вдохнул этот дым, но не почувствовал запаха.

— Так вы поможете Андрею? — спросила Лиза, ловя глазами взгляд Глеба.

— Возможно, — ответил тот. — А сейчас вам лучше уйти. Мне надо все обдумать.

— Да, конечно. Извините. Если что — звоните мне на мобильный, я записала для вас номер.

Она сунула ему в руку желтый листок бумаги.

— До свидания, Глеб Олегович!

— Угу. До скорого.

Медсестра ушла, оставив его наедине с призрачным двойником.

— Ты разучился общаться с девушками, — с упреком сказал тот. — В былые годы ты ни за что не упустил бы такую...

Глеб достал из кармана пластиковый флакончик с таблетками.

— А вот это зря, — сказал двойник.

Корсак вытряхнул на ладонь пару пилюль и забросил их в рот. Достал из другого кармана маленькую бутылочку с минеральной водой.

— Эй, ты что, это была шутка! — насмешливо запротестовал двойник. — Ну, перестань, брат, не будь занудой.

— Я тебе не брат, — отчеканил Глеб и запил препарат водой.

Двойник вздохнул:

— Вот так всегда. Только-только разговорились.

— Убирайся к черту, — отчеканил Корсак и закрыл глаза.

— Еще увидимся! — услышал он несуществующий голос.

Десять минут спустя Глеб Корсак постучал в дверь кабинета доктора Чурсина.

— Да-да! — отозвались оттуда.

Глеб приоткрыл дверь.

— Доктор, найдете для меня несколько минут?

— Да, разумеется! Входите!

Чурсин сделал широкий жест рукой и указал на кресло перед столом. Подождал, пока Глеб пройдет и усядется, после чего доброжелательно поинтересовался:

— Как прошла встреча?

— Нормально. Ваш пациент вспомнил, что когда-то мы с ним были одноклассниками.

Стеклышки очков доктора блеснули, когда он поправил сползающую дужку пальцем.

— Не слишком ли много холода в вашем голосе, когда вы говорите о своем школьном прошлом? — с улыбкой сказал он.

Глеб не нашелся, что на это ответить.

— В любом случае, я рад, что вы пришли, — продолжил Чурсин. — Надеюсь, общение с вами поможет ему поскорее все вспомнить.

— Да, возможно. — Глеб с интересом посмотрел на умное худое лицо врача. — Вам не интересно, о чем мы говорили?

— Медсестра Лиза только что была у меня и пересказала вашу беседу.

— И как вы относитесь к его просьбе?

— Насчет того, чтобы вы съездили на место аварии?

— Да.

Доктор Чурсин пожал плечами.

— Даже не знаю. Ну, а вы? Что вы намерены делать?

— Ничего, — сказал Глеб.

— Совсем ничего?

— Совсем.

Евгений Борисович вздохнул.

— Да... Наверное, вы правы. Вряд ли ваши блуждания по лесной чаще помогут моему пациенту.

— Это точно. Но что я скажу ему?

— Скажете, что съездили, но не нашли ничего интересного.

Глеб усмехнулся:

— Прописываете пациенту ложь?

— Врачи постоянно лгут своим больным, Глеб Олегович. Так же, как журналисты — своим читателям. Я ведь прав?

— Абсолютно.

Они посмотрели друг другу в глаза.

— Что с ним будет дальше? — спросил Глеб. — Ведь по сути он вернулся с того света. Как он это переживет?

Доктор опять поправил пальцем очки.

— Видите ли... Медикам известно о коме чрезвычайно мало. Впрочем, существуют некоторые закономерности. У пациентов, побывавших в коматозном состоянии, часто меняется характер. Порой они становятся агрессивными и склонными к насилию, в других случаях наоборот — пассивными, ко всему безразличными. Однако у подавляющего большинства пациентов наступает сильная депрессия.

— Да, я об этом читал. Почему одни коматозники просыпаются, а другие нет?

Евгений Борисович снял очки и потер пальцами покрасневшие от усталости глаза.

— Это загадка, которую не удалось пока разгадать никому, — ответил он. — Чаще всего срабатывает какой-то стимул. При этом стимулом может послужить что угодно. Андрей Темченко проснулся после того, как ему дали снотворное золпидем. Сейчас мы продолжаем давать ему этот препарат.

— И как? Темченко действительно восстанавливается? Сколько времени это займет?

— Выход из коматозного состояния — процесс длительный и сложный. Функции центральной нервной системы восстанавливаются медленно. Обычно это происходит в порядке, обратном их угнетению. Сначала появляются корнеальные рефлексы, потом зрачковые. Далее уменьшается степень вегетативных расстройств. Нередко отмечается спутанность сознания, а иногда даже галлюцинации. Пациент словно оглушен. Возможны судорожные припадки с последующим сумеречным состоянием...

— Я спросил не об этом. Я спросил: выздоровеет он или нет?

Чурсин надел очки, посмотрел на Глеба сквозь стекла и сказал:

— Его выздоровление под большим вопросом. Уж простите мне мою прямоту. Ваш знакомый пролежал в коме восемнадцать лет. Его пробуждение — слишком большой стресс для организма. Вполне вероятно, что его сознание снова начнет угасать. А вместе и ним и его тело.

— Если это произойдет... Сколько у него осталось времени?

— Не знаю. У Темченко большие проблемы с суставами и сосудами.

— Хотя бы приблизительно.

Врач вздохнул:

— Я бы на его месте не загадывал дальше чем на полгода. Но я не пророк, а в жизни иногда случаются чудеса. Будем надеяться на лучшее.

— Полгода, — задумчиво повторил Корсак. — Андрей об этом, конечно, не знает?

— Конечно нет. И надеюсь, вы ему об этом не скажете.

— Не скажу.

Глеб поднялся.

— Это все, что я хотел узнать, — сказал он. — До свидания!

Чурсин улыбнулся.

— До свидания! Будет славно, если вы снова к нему придете.

— Посмотрим.

В коридоре, направляясь к палате Андрея, Глеб снова столкнулся с Лизой. Она покраснела и кивнула ему. Он кивнул в ответ. Затем пошел дальше. Остановился у палаты, приоткрыл дверь и негромко окликнул:

— Андрей!

Темченко открыл глаза и безмолвно посмотрел на Корсака.

— Я сделаю то, о чем ты просил.

Андрей закрыл глаза. Глеб повернулся и ушел прочь.

Глава 3

●

ЧЕРНЫЙ ЛЕС

1

Полтора часа спустя Глеб Корсак сидел в кафе и потягивал черный кофе из красивой чашки с надписью «Счастье есть!». Когда лежавший на столе мобильник завибрировал, Глеб с готовностью взял его и поднес к уху.

— Да, Толя!

— Глеб, я по поводу твоего знакомого.

— Андрея Темченко?

— Да. Я прошерстил наши базы данных и кое-что нашел. Под колеса грузовика он угодил девятого сентября девяносто пятого года. Около трех часов ночи.

Глеб подался вперед, как собака, почуявшая дичь.

— Где конкретно это произошло? — сухо уточнил он.

— На шестидесятом километре Минского шоссе. Там еще неподалеку есть деревенька Черновники. Вернее — была.

— Почему «была»? — насторожился Корсак.

— Теперь она заброшена. Там рядом обширные болота. Комары, трясина, все дела.

— Ясно. Спасибо, Толян. Я твой должник.

— Да не за что. Передавай привет Маше.

— Передам, если увижу.

— А разве вы не вместе?

— Уже нет. Еще раз спасибо. Бывай!

Глеб отключил связь и сунул телефон в карман пиджака. После чего залпом допил кофе, бросил на стол две сотенные купюры и поднялся из-за стола.

В три часа пополудни Корсак сел в машину и, включив «Радио Джаз», покатил в сторону деревеньки под названием Черновники. Около пяти часов вечера он проехал старенький обшарпанный знак «Осторожно — лоси!» и сбавил скорость.

Глеб вдруг испытал дежавю. Ему показалось, что он уже бывал здесь когда-то и видел этот знак. Чтобы прогнать неприятное ощущение, Корсак энергично тряхнул головой и проговорил вслух:

— Ерунда. Я здесь никогда не бывал.

Самовнушение подействовало, чувство дежавю ушло.

Еще через три километра он увидел табличку с надписью «Черновники», а затем и поворот на проселочную дорогу.

Глеб свернул с шоссе и медленно поехал по ухабам, заросшим травой. В одном месте на дороге валялся полуобглоданный собачий труп. Он противно хрустнул под колесом машины. В другом — из-под колеса с громким писком выскочил какой-то зверек, метнулся в сторону и скрылся в траве прежде, чем Глеб успел понять, что же это такое было.

В зеркале заднего вида Корсак увидел, как из-за мокрых деревьев выплыло что-то большое и темное. Он обернулся. Огромный лось стоял посреди дороги, как обломок корабельной мачты, вкопанной в землю, и внимательно разглядывал машину. Сначала одним выпуклым глазом, затем — повернув массивную голову, — другим, таким же выпуклым и внимательным. Посмотрел, вздохнул, как пожилой не очень здоровый человек, и, понурив голову, ушел.

Еще полчаса спустя, изрядно попрыгав по ухабам, Глеб въехал в полузаброшенную деревню, где из двух десятков домов, которые стояли на виду, пятнадцать были полными развалюхами. Бревенчатые избушки пришли в упадок, фундамент просел, дерево превратилось в труху. Сверху над всем этим апофеозом разложения молча кружили черные коршуны, то и дело ныряя камнем вниз и взмывая из травы с зажатой в когтях добычей.

Глеб вырулил на небольшую плешь — пятнадцать на пятнадцать метров — и заглушил мотор. Посреди плеши стоял колодец с треснувшим деревянным валиком и оторванной лебедкой.

Крайний домик привлек внимание Глеба тем, что из трубы его шел дымок. Корсак открыл дверцу и выбрался из салона. И тут же услышал стук топора.

Сунув в рот электронную сигарету, Корсак пересек улицу и подошел к покосившемуся заборчику. Он увидел коренастого седобородого старика в меховой жилетке и сапогах. В руке дедок держал топор.

Глеб вынул сигарету и втянул ноздрями приятный запах смолы и дерева, исходивший от разрубленных кругляков.

Старик выпрямился, посмотрел на пришельца хмурым взглядом и вытер рукавом потный лоб.

— Здравствуйте! — поприветствовал его Корсак.

— И тебе не хворать, — отозвался старик. — Ты кто? И чего тебе здесь надо?

— Меня зовут Глеб Корсак. Я журналист из Москвы.

— Журналист? И в какой газете работаешь?

— В газете «Соль земли».

Старик пошевелил бровями и сказал:

— Не слыхал о такой.

— Немного потеряли, — иронично заметил Глеб. — Я пишу статью о заброшенных деревнях. Ваша деревня кажется мне...

— Наша деревня не заброшена, пока мы здесь, — перебил его дед.

— «Мы?» — Глеб обвел взглядом ветхие избы. — Так вас здесь много?

— Пятеро — со мной и моей женой.

— Ясно.

Глеб снова сунул сигарету в рот и выпустил облачко безникотинового пара.

Над головой раздался клекот. Глеб взглянул на серое небо и увидел двух птиц, описывающих круги над лесом.

— Это луни, — пояснил старик. — Хищные птицы. Падают на жертву сверху камнем и убивают.

Он достал топор из колоды.

— Красивые хищники, — сказал Глеб.

— И смертоносные. Убивают других птиц.

Глеб усмехнулся:

— Прямо как люди.

Старик окинул непрошеного гостя взглядом с ног до головы.

— Значит, журналист?

— Угу. — Корсак обезоруживающе улыбнулся. — Из Москвы. Говорят, в ваших местах много таинственного. Вот, решил приехать и посмотреть сам.

— И что же у нас таинственного? — прищурился старик.

— Ну, как... Болота, заброшенные дома... Там, где болота, там всегда тайны, ведь так?

— Хорошая попытка, — сказал старик.

— Что?

— Я говорю, врешь ты здорово. Но все равно врешь. Так зачем ты сюда *на самом деле* приехал?

Глеб засмеялся и примирительно поднял руки.

— Сдаюсь! Вы меня разоблачили. Тема моего журналистского расследования совсем другая.

— И какая же?

Глеб несколько секунд размышлял, а потом попробовал наудачу:

— Восемнадцать лет назад в этих местах что-то произошло. Вы в то время жили здесь?

— Жил. — Старик сплюнул на груду влажных опилок и вытер рот рукавом. — Ты, должно быть, говоришь про пожар за Сорочьей балкой?

Глеб кивнул.

— Так чего ж про него писать? Само занялось, само погасло. До деревни огонь не дошел.

— Так-то оно так, но... — Глеб глубокомысленно сдвинул брови. — Вы сами-то давно были за Сорочьей балкой?

— Я-то? — Старик ухмыльнулся, обнажив желтые редкие зубы. — Я не самоубийца, чтобы туда шастать. Места там нехорошие, гиблые. Из местных туда и раньше-то никто не ходил, а сейчас тем более — и ходить-то стало некому.

Старик посмотрел в сторону дома. Глеб проследил за его взглядом и увидел старую женщину, которая наблюдала за ними из окна. С седыми волосами и в светло-серой кофте, она выглядела прильнувшим к стеклу призраком. Заметив, что Глеб на нее смотрит, старушка тут же скрылась в глубине комнаты.

— И что в тех местах «нехорошего»? — спросил Глеб, снова взглянув на старика. — Почему туда никто не ходит?

— Говорят, там живет нечистая сила. Кружит человека по лесу, не дает выйти, пока не уморит до смерти.

Старик повернулся к Глебу и вдруг пошел на него с топором в руке. Корсак отпрянул, но старик прошел мимо и двинулся к сараю.

Глеб, секунду помешкав, последовал за ним. Остановился у открытой двери сарая, посмотрел, как дед вешает топор на гвоздь рядом с другими инструментами.

— Расскажите мне про тот пожар, — попросил он.

Старик повернулся, посмотрел на Глеба задумчиво, после чего ответил:

— Да рассказывать особо нечего. Сгорела охотничья избушка да с полгектара леса. А может, и того меньше. Началась жуткая гроза, и ливень быстро прибил огонь.

— Вы там были?

Старик покачал головой:

— Нет. Говорю тебе: туда давно никто не ходит.

— Насколько давно?

— Да почитай уже лет тридцать. С тех пор как туристы пропали... году, наверное, в семидесятом... пропали, а потом нашлись.

— Живые? — на всякий случай уточнил Корсак.

Старик усмехнулся:

— Куда там. Мертвые! Заплутали в лесу и померли от голода и холода. И это всего-то в пяти километрах от нашей деревни. Упокой Господи их души с миром!

Старик перекрестился.

— Да, не повезло, — сказал Глеб.

— Везение тут ни при чем. Говорю тебе, места там погиблые. Коли дурак — то пойдешь и сгинешь, а коли умный — обогнешь стороной или вовсе в ту сторону не посмотришь.

Глеб покивал в знак согласия, а потом спросил:

— А сколько отсюда до охотничьего домика?

— До того, что сгорел?

— Да.

Старик задумчиво почмокал губами.

— Километров шесть будет.

— Выходит, совсем близко?

— Это смотря как поглядеть. Напрямки не пройдешь — болота да буреломы. Только от шоссе и можно.

— Это как?

— Видел старый знак — «Осторожно — лоси!»?

— Да.

— В километре от него была когда-то тропка. Места там сухие, не топкие. Коли по тропинке той пройдешь, то меньше чем через час к пожарищу выйдешь. Возьмешь правее — угодишь в трясину.

— А левее?

— Левее — Сорочья балка. Попадешь туда — тоже не вернешься.

Глеб улыбнулся.

— Н-да... Мрачно тут у вас все. Спасибо, что согласились поговорить.

— Да не за что.

— Передавайте привет супруге!

На это старик ничего не сказал, лишь окинул худощавую фигуру Глеба задумчивым взглядом, словно оценивал его шансы на выживание.

Корсак кивнул ему, повернулся и зашагал к машине, чувствуя спиной его пристальный взгляд.

2

Старик не обманул и ничего не перепутал. Выбравшись из машины в километре от знака, предостерегающего людей от лосей (или, скорее, наоборот), Глеб нашел тропинку (или, скорее, ее подобие) и двинулся вперед.

Было еще светло, и порой сквозь темные тучи проглядывали тусклые лучи вечернего солнца. Под ногами все время хлюпало, и, пройдя километра полтора, Глеб обнаружил, что насквозь промочил ботинки и носки.

Был момент, когда Корсаку почудилось, будто он слышит хлопанье крыльев над головой, но, глянув наверх, он увидел только облака.

Минут через двадцать Глебу почудился легкий, застарелый запах гари. Он прошел еще метров триста, вытаскивая ноги из чавкающей грязи, прошел мимо группы черных обгоревших сосен и вышел на открытое пространство. И тут его охватило неприятное чувство — что-то вроде безотчетного страха перед неминуемой встречей с чем-то кошмарным.

Корсак вдруг обратил внимание на то, что осенний ветер больше не шевелит ветви деревьев и вокруг стоит тишина — мертвая, как в склепе.

Он замедлил шаг, задержавшись под сенью деревьев.

Серое небо без птиц, подернутый легким туманом луг, искривившиеся черные деревья — все замерло в какой-то противоестественной тишине. В голове у Глеба мелькнула мысль, что сделай он сейчас шаг — и его нога беззвучно провалится сквозь призрачную землю, а попробует крикнуть — и с губ не сорвется ни звука.

Глеб сделал над собой усилие и последовал дальше.

Порыв холодного ветра оживил природу, и у Глеба возникло ощущение, будто за ним наблюдают. И хотя гробовая тишина нарушилась и лес сбросил с себя оцепенелость, Корсака все еще не оставило ощущение сверхъестественного, которое он только что испытал.

Он пересек луг, участок обгоревших деревьев, окруженный молодой порослью, которая еще не сбросила листья, и увидел обугленные развалины охотничьего домика. Он остановился и перевел дух. Ноги ныли от усталости, в груди щемило.

Глеб достал из кармана электронную сигарету. Несколько раз затянулся паром, как астматик — ингалятором, затем убрал сигарету обратно и зашагал к обугленным развалинам. Не дойдя до пожарища метров десять, он остановился и уставился на груду черно-серой золы. Вгляделся внимательней, побледнел и невольно отступил на шаг назад. Из золы торчала человеческая рука со скрюченными пальцами, кости которых обнажились и почернели.

Глеб облизнул пересохшие губы и огляделся по сторонам. Вокруг мрачной стеной стояли деревья.

— Черт... — вымолвил он севшим от волнения голосом. — Вот это сюрприз.

Он потянулся было за сигаретой, но передумал и вместо нее достал мобильный телефон. Быстро набрал номер и прижал трубку к уху.

— Алло... Здравствуйте! Могу я поговорить с майором Любимовой?.. Маша, это Глеб. — Он покосился на человеческие останки, но сразу отвел взгляд. — Я тут кое-что нашел. Думаю, тебе и твоим коллегам стоит на это посмотреть.

3

Глеб озирал поляну, еще недавно безлюдную и безмолвную, а теперь запруженную машинами, освещенную фарами и фонарями, и заполненную снующими людьми — оперативниками, экспертами и еще черт знает кем. Кажется, тут были даже журналисты.

Капитан Данилов, среднего роста, сухопарый и смазливый брюнет, стоя напротив Корсака, продолжал допрос, который он тактично называл беседой.

— Что ты делал в лесу, Глеб?

— Гулял.

— Один?

Корсак кивнул.

— Один, как перст, как ветер в поле.

— Странное место для прогулки, ты не находишь?

— Традиционное, — возразил Глеб. — Горожан часто тянет в лес.

Стас Данилов насмешливо прищурился:

— Так ты сюда на пикник, что ли, приехал?

— Угу. Как видишь, место располагает к пикникам.

Стас окинул взглядом пепелище и хмыкнул.

— Это точно. Но, кажется, тут уже кто-то побывал до тебя.

— Верно. Меня опередили. И пикник не состоялся.

— Да уж, шашлычок получился подгоревший, — подал голос судмедэксперт Лаврененков, подходя к Глебу и Стасу. И, утерев платком морщинистое лицо, процитировал с кривой ухмылочкой:

> Как-то в пещеру пошли два туриста,
> взяли с собою бензина канистру,
> но поступили они с нею глупо:
> в базе нашли два обугленных трупа.

— Семен Иванович, нельзя ли посерьезнее? — осадила его Маша Любимова, подходя к мужчинам.

— Можно, — сказал эксперт, напялил очки на хрящеватый нос и окинул взглядом ладную фигуру майора Любимовой. — С чего начать, Машенька?

Она откинула с лица белокурую прядь волос.

— С чего хотите.

— Ладно. Предположительно могу сказать, что трупу этому — много-много лет. Не сто, конечно, но лет десять точно. Или даже больше. Скорей всего, это была женщина. Перед тем, как сжечь бедняжку, ей пробили чем-то грудь. Сломана грудина, а также два ребра. Красивая она была или нет — мы не узнаем, поскольку у трупа нет головы. Ее у бедняжки отсекли до того, как запалили огонь.

— Значит, десять с чем-то лет назад кто-то отрезал или отрубил женщине голову, пробил ей грудь, а затем, чтобы уничтожить следы преступления, сжег тело. Так?

Судмедэксперт усмехнулся:

— Не знаю, Марусенька, меня там не было. Но поешь ты складно, как всегда.

Маша поежилась от порыва холодного ветра и подняла воротник светлого плаща.

— Семен Иванович, мне нужен анализ ДНК. Пока проходной, а потом комплексный.

— Сделаем, Маруся.

— А также анализ остатков одежды. Возможно, удастся найти образцы генетического материала убийцы.

— Это вряд ли.

— И все-таки сделайте. Результаты пробейте по базе данных. Возможно, убитая стала жертвой маньяка.

— Есть, — сказал эксперт и поднес руку к виску.

Маша улыбнулась и взглянула на Корсака.

— Рассказывай, Глеб.

— Сегодня утром мне позвонили из некой частной клиники. Сообщили, что один их пациент пару недель назад вышел из комы. У него амнезия, но он вспомнил два имени — свое и мое.

Глеб сунул в рот свою сигарету и пыхнул паром. Маша посмотрела на него несколько удивленно.

— Бросаешь курить?

— Что-то вроде того.

— Так что там с этим пациентом? — поторопил Стас. — И кто он вообще такой?

— Зовут его Андрей Темченко. Когда-то мы с ним учились вместе в школе, даже сидели за одной партой. Но потом я потерял его из виду. Восемнадцать лет назад Темченко попал под машину, после чего впал в кому. Мою фамилию он увидел в каком-то журнале, она показалась ему знакомой. Со мной связались, попросили приехать. Я приехал. — Глеб пожал плечами. — Вот, собственно, и все.

— О чем вы говорили с Темченко? — спросила Маша.

— Он не помнит ничего о своей жизни до комы. Он попросил меня разузнать, где конкретно произошла авария, и... съездить сюда.

— Зачем?

— Наверное, надеялся, что я что-нибудь найду. Что-нибудь такое, что освежит ему память.

— Что ж, тебе это удалось, — сказала Маша и посмотрела на то место, где все еще лежал обугленный и обезглавленный труп. — Поздравляю.

Глеб легонько пожал плечом:

— Я всегда умел искать. Несколько лет назад я нашел тебя.

— Как показало время, эта находка была не очень удачной, — заметила Маша.

— Но она дала жизнь новому человеку.

— Которого ты навещаешь раз в месяц?

— Подрастет — буду навещать чаще.

— Типичный мужчина.

Стас Данилов примирительно поднял руки:

— Все, ребята, брэк.

Маша достала из сумочки пачку «Aroma Rich», вынула тонкую коричневую сигаретку с золотым ободком, хотела достать зажигалку, но Глеб уже щелкнул своей. Она посмотрела на него поверх огня.

— Все еще таскаешь зажигалку? Зачем?

— По привычке, — ответил Глеб.

Маша прикурила, выпустила облачко дыма, которое ветер тут же отнес в сторону темной стены деревьев.

Она прищурилась, посмотрела на Глеба и спросила:

— Ну? И что ты обо всем этом думаешь?

— Пока ни одной дельной мысли у меня нет, — ответил Корсак. — Ясно одно: восемнадцать лет назад здесь что-то произошло. Хотя даже это не ясно. Женщину могли сжечь и раньше. А спустя время сюда зачем-то занесло Андрея Темченко.

— Занесло?

— Ну да, занесло. Может, он грибы собирал. Или бабочек ловил. Увлекся, забрел в чащобу и увидел то, что увидел я. Испугался, побежал к машине — та не завелась, он бросился ловить попутку и угодил под грузовик.

Маша поморщилась.

— Ерунда. Твой Темченко оказался здесь в тот вечер не случайно. Он и эта женщина как-то связаны.

— Думаешь, он ее...

— Мария Александровна! — окликнул Машу молодой криминалист Паша Скориков. — Мы тут нашли кое-что интересное!

Маша отбросила сигарету и быстро подошла к Паше, сидевшему на корточках возле обугленного тела.

— Что это? — спросила она.

— Кажется, бумажник.

Маша достала из кармана плаща фонарик и посветила на находку. Это и впрямь был бумажник — старомодный, из черной клеенки, заплесневевший по углам.

— Не часто преступник оставляет на месте преступления кошелек, — задумчиво проговорила Маша.

— Это уж точно.

— Он женский. Паш, попробуй его открыть, только осторожно.

Молодой криминалист осторожно раскрыл кошелек пальцами, обтянутыми белым силиконом перчаток.

— Это что — булавка?

— Да, Мария Александровна, похоже на то.

— А что на ней?

Майор Любимова и эксперт-криминалист Скориков внимательно осмотрели маленький круглый шарик с отверстием посередине, в которое и была продета заржавленная булавка.

— Глаз куклы? — предположил криминалист.

— Не знаю. Там, в кармашке, есть что-то еще. Достань, но осторожно.

Паша кивнул, вытащил стальной пинцет и осторожно извлек из кармашка бумажника несколько купюр старого образца.

— Ого! — воскликнул криминалист, напряженно улыбнувшись. — Будет, на что сегодня попить пива, ребята!

Его шутку никто не поддержал. Все взгляды были направлены на бумажник. Паша, ловко орудуя пинцетом, извлек из кармашка полуистлевший листок бумаги, на котором что-то было написано фиолетовыми чернилами.

— Что там? — спросил Данилов.

Паша поднес листок к глазам.

— Тут два слова, — сказал он. — «Ад тел».

— Не нравится мне это, — проворчал, сдвинув брови, подошедший к ним капитан Волохов. И смущенно перекрестился.

— Не понял, — насмешливо сказал Стас. — Ты же вроде атеист?

— Просто на всякий случай, — хмуро отозвался Толя.

— Ад тел, — задумчиво повторила Маша. — Мистика какая-то.

Она повернулась к Глебу, который спокойно потягивал свою эрзац-сигарету.

— Что скажешь? — спросила она.

— Скажу, что это оксюморон, — ответил Корсак. — Как известно, в ад попадают не тела, а души.

— Оксю... что? — не понял Стас.

— Оксюморон, — пояснил для него Глеб. — Сочетание противоречивых понятий. Типа — «горячий снег». Ну, или «умный мент».

Глаза Стаса сузились, он уже раскрыл рот, чтобы дать отповедь Глебу, но Паша его перебил.

— Тут есть что-то еще... — Он наморщил нос. — Мерзкое.

Паша достал из бумажника некий предмет — нечто темное, похожее на волосатое дохлое насекомое.

— Это еще что за гадость? — пробасил Толя и поморщился.

— Лаврененков! — позвала Маша. — Семен Иванович!

— Ну? — обреченно спросил пожилой эксперт, подходя к операм. — Какую еще пакость вы для меня припасли?

— Сегодня только приятные вещи, — проинформировал его насмешливый Стас. — Кукольный глаз, дохлый тарантул и адская записка.

— О! — утрированно обрадовался Лаврененков. — Мой любимый набор.

Он присел на корточки и положил на траву свой чемоданчик. Раскрыл его, достал щипцы, взял ими таинственный предмет и осторожно оглядел его.

— Это не паук, — сказал Лаврененков.

— А что тогда? — спросили в один голос Стас и Толя Волохов.

Лаврененков улыбнулся зловещей улыбкой старого маньяка и сообщил:

— Волосы. Комок свалявшихся человеческих волос.

Затем стал упаковывать все находки в пластиковые пакетики.

— Головы нет, а волосы есть, — пробасил задумчиво и недовольно капитан Волохов. — Что же, черт подери, все это значит? — Он взглянул на майора Любимову. — А, Маш?

Она вздохнула:

— Будем разбираться. Кстати, я, кажется, знаю, что такое: «Ад тел».

— И что же? — навострил слух Толя.

— То, что осталось от слов «адрес» и «телефон». Остальное истлело.

Стас подмигнул Толе:

— Вот тебе и мистика.

Маша швырнула окурок в мокрую траву и достала из сумки листы бумаги, чтобы продолжить составление протокола осмотра места происшествия.

4

Медсестра Лиза включила в палате мягкий ночной свет, затем помогла Андрею сесть на кровати.

— Все тело болит, — пожаловался он.

— Это из-за упражнений, — объяснила Лиза.

— Да. Знаю.

— Инструктор по физиотерапии сказал, что так и должно быть.

— Угу.

Андрей поморщился, вспомнив недавнюю гимнастику. Это было похоже на пытку — разминать и прокручивать сустав за суставом, постепенно включать в работу мышцы, сначала мелкие, потом более крупные.

Двадцать минут такой гимнастики совершенно измотали Андрея. И даже двухчасовой сон не помог ему восстановиться. Голова у него слегка кружилась, но он решил не обращать на это внимания.

Андрей пытался читать журнал, но вскоре понял, что не может вникнуть в суть прочитанного. Он попросил Лизу включить телевизор и добрых двадцать минут с мрачным видом созерцал какое-то ток-шоу, совершенно не понимая, что столь важное обсуждают эти люди, из-за чего они так горячатся.

Тогда он попросил Лизу выключить телевизор, а когда она это сделала, снова лег на кровать.

— Андрей Павлович, — участливо заговорила Лиза, глядя на его опечаленное лицо, — как вы...

— Просто Андрей, — мягко перебил он. — Называйте меня Андреем.

— Хорошо. — Она улыбнулась. — Андрей.

— Черт, я уже начинаю привыкать к тому, что мне сорок лет, — проговорил он с горечью и досадой.

— Сорок лет — самый расцвет для мужчины, — с улыбкой сказала Лиза.

— Не знаю. Мне не с чем сравнивать, поскольку я не был ни двадцатипятилетним, ни тридцатилетним. Пару недель назад мне было всего двадцать два. Примерно, как вам сейчас.

— Мне двадцать один, — уточнила Лиза. — Поэтому вы в любом случае старше меня.

Он дела́но улыбнулся. Потом помолчал, исподволь разглядывая девушку, после чего сказал:

— Лиза, можно вас кое о чем спросить?

— Конечно, — с готовностью кивнула она.

— Почему вы со мной так возитесь?

Худенькое лицо девушки порозовело.

— Что вы... — пробормотала она. — Вы ошибаетесь. Я одинаково хорошо отношусь ко всем пациен...

— Лиза, я больной, но не глупый, — перебил ее Темченко. — Так почему вы со мной возитесь? Чем я вам так дорог?

— Все дело... в моем отце, — сбивчиво начала она. — Он тоже был в коме. Четыре года. И все это время мы с мамой надеялись, что однажды он откроет глаза, улыбнется и скажет нам: «Привет! Я вернулся!»

— И как? Он действительно вернулся?

Лиза покачала головой:

— Нет. Он умер.

— Сожалею. Сколько вам тогда было?

— Одиннадцать. Послушайте... Хотите, я принесу вам что-нибудь из домашней еды? — неловко сменила она тему.

— Домашней?

Лиза кивнула:

— Да. В нашей больнице хорошо кормят, но все же...

— Но все же никакая общепитовская еда не сравнится с домашним супом и котлетами? — с улыбкой закончил за нее Андрей. — Полностью с вами согласен. Поэтому не имею ничего против домашней еды.

Лиза просияла.

— Тогда я принесу. Завтра же!

— Хорошо. А теперь я хочу остаться один и немного вздремнуть. Ты не возражаешь?

— Нет.

Темченко дождался, пока медсестра вышла, и закрыл глаза. Он не мог понять почему, но его терзали неприятные предчувствия, и предчувствия эти не имели никакого отношения к его здоровью или болезни.

Он уже восстановил в памяти свое детство и отрочество. Даже помнил, как поступал после школы в МГИМО. Но он никак не мог вспомнить, что привело его восемнадцать лет назад в лес. Что он там делал? И один ли он там был? А если нет — то кто с ним был еще?

Размышляя об этом, он задремал. Перед глазами проносились образы прошлого, чьи-то лица, обрывки фраз, отдаленный смех. Потом он вспомнил девушку — светловолосую, довольно симпатичную. Кажется, она была его подружкой... Да-да, именно так. Точнее сказать — одной из его подружек, потому что в ту далекую пору он был настоящим бабником, а деньги папаши-замминистра, модные шмотки и автомобиль «Тойота» последней модели помогали ему не знать отбоя от симпатичных девчонок. Вот и в тот день он валялся в постели с одной из них. Кажется, они провели бурную ночь, но в двадцать два года Андрей Темченко не знал усталости и готов был заниматься сексом до бесконечности...

5

...И тогда она нежно поцеловала его в грудь. Андрей усмехнулся и стряхнул с сигареты пепел в хрустальную пепельницу, стоявшую на тумбочке.

— Тебе нравится? — проворковала подружка, глядя на него огромными синими глазами, в которых отражалось все, что угодно, кроме интеллекта.

— Нормально, — сказал Темченко.

— Нормально? Всего лишь? — Она соблазнительно улыбнулась. — А если я опущусь ниже?

— Попробуй.

Девушка слегка замялась.

— Ты ведь не будешь считать это извращением? — уточнила она.

Он качнул головой:

— Нет. А ты?

— Я? — Она улыбнулась распухшими от поцелуев губами. — Сейчас посмотрим!

Подружка плавно скользнула вниз и исчезла под одеялом. Когда ее губы коснулись его возбужденной плоти, Андрей закусил губу и прикрыл глаза от удовольствия.

«Хорошая девочка, — подумал он. — Надо будет сводить ее в ресторан. Или подарить ей пару билетов на концерт «Агаты Кристи». Кажется, она сказала, что любит этот ансамбль... Или это была не она? А, неважно».

Он подавил стон, когда она взяла его член в рот, потом, содрогаясь от наслаждения, затянулся сигаретой и затушил окурок в пепельнице. После чего заложил руки за голову и удобнее устроился на подушке, готовясь продержаться подольше и получить полную дозу кайфа.

Когда он готов уже был «приплыть», на тумбочке запиликал радиотелефон. Не стоило, конечно, его брать. Но Андрей подумал, что разговаривать по телефону, когда красотка делает тебе под одеялом минет, — это круто. По-барски. Это, черт возьми, забойно!

Он протянул руку, взял тяжелую трубку и, нажав на кнопку связи, приставил ее к уху.

— Слушаю! — хрипло проговорил он.

— Андрюх, привет! — услышал он звонкий голос Виталика Борзина.

— Привет, Виталя!

— Слушай, старик, ты чем в пятницу занят?

Андрей посмотрел на мерно двигающуюся горку под одеялом, масляно улыбнулся и ответил:

— С утра в институте, а потом ничем.

— Есть предложение. В пятницу Гоша Пряшников устраивает что-то вроде мальчишника.

— Мальчишника? Погоди...

Андрей отставил трубку в сторону, выгнулся дугой и — «приплыл». Потом расслабился, снова поднес телефон к уху и с довольной улыбкой спросил:

— Так что он там устраивает?

— Мальчишник. Это как в американских комедиях. Смотрел?

— Угу. Гоша Пряшников в среду женится, вот он и решил устроить нам...

Подружка выскользнула из-под одеяла, посмотрела на Андрея шальным взглядом и вытерла рукой губы.

— Андрюх, ты там? — окликнул из трубки голос Виталика Борзина.

— Ага. Дурак твой Гоша Пряшников.

— Чего?

— Говорю, дурак он.

— Не скажи. Невеста — племянница члена Совета федерации. И заметь — любимая племянница!

— Да, но жениться в двадцать два года... По-моему, нужно быть конченым кретином. Вокруг столько девчонок!

И он подмигнул подружке. Она хихикнула и потянулась за пачкой «Мальборо-лайт», лежащей на тумбочке.

— А что ему помешает их оприходовать? — весело возразил Виталик. — Жена женой, а личная жизнь — личной жизнью, правильно я говорю?

— С точки зрения мужа, да. Но молодая жена... Молодая жена, Виталик, может с этим не согласиться. Подожди минутку!

Андрей закрыл рукой трубку и сказал подружке:

— Слышь, старуха, сгоняй на кухню за шампусиком! Шампусик клевый — «Моет»!

— Вот за что я тебя люблю, Андрюша, так это за твою несказанную щедрость! — проворковала она.

— Ты мне ее потом отработаешь.

— С удовольствием!

Девушка грациозно поднялась с кровати, подмигнула Андрею и направилась на кухню, не потрудившись накинуть халат. Он проводил ее взглядом и сладко потянулся. Впереди у его целая жизнь! И эта жизнь обещала стать очень интересной.

Он снова поднес трубку к уху.

— Ну? И что там с мальчишником?

— Гоша зовет всех на природу. Где-то в лесу, километрах в шестидесяти от Москвы, есть охотничий домик. Он предлагает оттянуться там! Недалеко река, лес! Я возьму отцовский «барс», постреляем по зверюшкам! Ты как, с нами или нет?

— А то, — усмехнулся Темченко. — Вы от меня так просто не отделаетесь.

— Заметано! Я тебе позвоню в четверг, и обо всем конкретно договоримся. Бывай, старик!

— Бывай!

Андрей положил трубку на тумбочку и взял пачку «Мальборо». Вытряхнул сигарету и вставил ее в рот. Но закурить не успел. Едва он потянулся за зажигалкой, как на кухне что-то громыхнуло, да так сильно, что Темченко подскочил на месте.

А затем, почти без перерыва, раздался короткий вскрик, перешедший в странный звук, похожий на бульканье, словно брызнула...

Кровь? — *пронеслось в голове у Андрея.*

...Словно брызнула и задохнулась под собственной тяжестью струйка воды, ударившая вверх. Андрей приподнял голову и настороженно прислушался.

— Что там случилось? — крикнул он.

Никто не отозвался. Несколько секунд в квартире царила тишина. А затем что-то клацнуло. Потом еще раз. И еще. Клацанье было медленным и мерным, и оно приближалось. Будто кто-то полз по полу, стуча по паркету ногтями.

Андрей приподнялся и, вытянув шею, снова прислушался.

— Эй! — крикнул он. — Да что там у тебя?

Клацанье на секунду прекратилось, а затем послышалось снова. И оно по-прежнему приближалось. Темченко испуганно уставился на приоткрытую дверь комнаты. Что бы ни было за этой дверью, но оно медленно и неотвратимо ползло к нему.

— Это бред, — сказал себе Андрей и через силу улыбнулся. — Розыгрыш! Она думает, что я испугаюсь!

Он снова попробовал усмехнуться, но ничего не вышло.

— Блин, ты ответишь или нет? — крикнул он, чувствуя не только страх, но и гнев. — Что там случилось?

Ни слова в ответ. Только мерное — клац. Клац. Клац. Ближе, еще ближе. Клац. На этот раз уже возле самой двери!

И тут нервы его сдали, он вскочил с кровати, голышом подбежал к двери и захлопнул ее. А потом нажал на кнопку фиксатора.

И тут что-то зацарапало, заскребло в створку. А потом он услышал страшный звук — не то змеиное шипение, не то приглушенный стон. Андрей знал, что там, в коридоре, чудовище, и оно не успокоится, пока не доберется до него!

Спина и шея Андрея покрылись холодным потом, и он проснулся.

6

В больничной палате царил полумрак, подсвеченный тусклой ночной лампой. Андрею захотелось яркого света, и он уже собрался крикнуть — «Свет! Включите свет!» — но осознал, что ничего страшного не происходит и нет никакого царапанья в дверь, никакого клацанья по паркету.

— Это был сон, — облегченно проговорил он. — Слава богу, это был всего лишь сон.

Темченко вздохнул и вдруг закашлялся. Но тут же прикрыл рот рукой. Ему не хотелось будить медсестру, которая, должно быть, кемарила за столом в коридоре.

Немного успокоившись, он стал анализировать свой сон и понял, что в этом кошмаре причудливым и жутковатым образом переплелись реальность и фантазия. Они действительно собирались ехать в лес на этот чертов мальчишник.

Был телефонный звонок Виталика Борзина, была блондинка под одеялом, было самодовольство юного прожигателя жизни, разъезжающего по Москве на подаренной отцом «Тойоте». Все это было.

Но вот остальное... Клацанье, царапанье в дверь... Фу ты, мерзость какая!

Он передернул плечами.

Нет, это все наслоение кошмара на реальность. А значит, и бояться нечего.

Он облегченно вздохнул и почувствовал, что хочет курить. Андрей понял, что раньше курил. Раньше?.. Да, восемнадцать лет назад.

Внезапно Андрею стало страшно и душно. Восемнадцать лет псу под хвост. Молодость, которой не было. И никогда не будет. Никогда!

От приступа паники он стал задыхаться. Превозмогая боль во всем теле, Андрей сел на кровати и опустил ноги на пол, стараясь восстановить дыхание и успокоиться.

Потом, оттолкнувшись от края кровати руками, он поднялся на ноги, покачнулся, но устоял. Ноги дрожали от слабости, но стоя он почувствовал себя немного лучше.

— Ладно, — хрипло пробормотал Андрея, успокаивая себя. — Ладно. Прошло и прошло. Я еще не стар. Впереди полжизни. Я не стар. Сорок лет для мужчины — самый расцвет!

Пробормотав это, он вспомнил Лизу. Перед глазами у него встало ее лицо, нежное, смущенное, доброе. Андрей улыбнулся, на душе у него немного посветлело. Тучи еще не рассеялись, но сквозь них пробились лучи солнца, и этим солнцем была хрупкая девушка в белом халате, которая ухаживала за ним полтора года. Переворачивала, чтобы не было пролежней, меняла подгузники...

Внезапно Андрею стало стыдно, и этот стыд отвлек его, отогнал на время гнетущую тоску и скорбь по непрожитой молодости. Стыд помог ему осознать, что он относится к Лизе совсем не как к медсестре.

Но ведь она такая юная, а ему... Господи, ему уже сорок лет! Еще пару недель назад его отцу было сорок четыре, и вот уже ему самому сорок. Как такое возможно?

Андрей вновь затосковал, в этот миг почувствовал на себе чей-то взгляд.

Он обернулся, но в палате, конечно же, никого не было.

Тогда откуда это ощущение?.. Кто может на него смотреть в ночной тишине, в этой тоскливой безлюдности?

Андрей посмотрел на окно. Его палата находилась на первом этаже клиники, и поэтому мысль о том, что кто-то может смотреть на него с улицы, не показалась ему дикой.

Желая развеять жутковатую иллюзию, Темченко двинулся к подоконнику. Шел он медленно, чуть прихрамывая, морщась при каждом шаге от боли в хрупких костях и отвыкших от движений суставах.

Вот и окно.

Андрей оперся ладонями о подоконник и, наклонившись вперед, вгляделся в ночную тьму, разбавленную тусклым светом фонаря.

По спине его пробежал холодок, когда он увидел одинокую темную фигуру, стоявшую рядом с фонарем.

— Ерунда какая-то... — прошептал Темченко, стараясь взять себя в руки.

Он вгляделся в фигуру пристальнее. Ему показалось, что это женщина. Но что здесь делать женщине? В такое время, одной?... Странно...

Андрей вздохнул и понял, что все еще чувствует на себе чужой взгляд. Несомненно, эта странная женщина смотрит на него. От этой мысли ему стало не по себе. Все это попахивало какой-то чертовщиной.

«Быть может, там вообще никого нет? — спросил он себя. — И все дело в игре теней?»

Он закрыл глаза, мысленно досчитал до пяти и вновь открыл их — и словно кто-то стегнул его по сердцу ледяным хлыстом! Женщина переместилась! Теперь она стояла не возле фонаря, а перед ним — метрах в пяти или шести от окна. Стояла все так же неподвижно. И смотрела на него.

Одета она была во что-то темное — плащ или пальто. Черт ее лица, скрытого в тени, он не мог разглядеть, но было ясно, что она очень бледна: лицо выделялось на фоне полумрака светлым, словно мерцающим пятном.

Темченко не выдержал — шагнул в сторону, скрылся за стеной, прижался к ней спиной и замер, пытаясь перевести дух.

Тело, вторя обессиленному духу, предательски ослабло, ноги подкашивались, в висках стучало. Ныли перетруженные мышцы, бешено колотилось сердце.

— Все хорошо... — хрипло прошептал Андрей, стараясь себя успокоить. — Ничего не случилось. Подумаешь, какая-то баба... Все это бред, полный бред.

Самовнушение подействовало, и вскоре он немного успокоился.

Он решил, что нужно еще раз выглянуть в окно, чтобы удостовериться: ничего страшного на улице не происходит, и скорей всего, там уже никого нет.

Да, конечно — там никого нет! Кто-то проходил мимо, остановился, чтобы... закурить или еще что-нибудь. А он уже навоображал себе черт знает чего. Надо выглянуть. Определенно.

Андрей собрал волю в кулак, шагнул к окну и выглянул на улицу.

Бледное лицо женщины с неразличимыми чертами почти прижалось к стеклу, высматривая Андрея, белки ее глаз тускло мерцали в темноте.

Темченко, со сжавшимся от ужаса сердцем, хрипло вскрикнул и попятился от окна. Женщина среагировала на крик и уставилась на него. Потом прижала растопыренные пальцы к стеклу, клацнув по нему ногтями.

КЛАЦ!

Улыбнулась и заскребла ими по стеклу. Губы ее что-то беззвучно зашептали, и в ушах у Андрея зазвучал далекий, приглушенный временем голос, от которого кровь в его жилах превратилась в горячий лед.

— *Я приду за тобой... Я приду за тобой!*

Темченко продолжил пятиться, с ужасом глядя на видение. Нога его вдруг подвернулась, он потерял равновесие и рухнул на пол, успев услышать хруст собственных ломающихся костей, после чего потерял сознание.

Глава 4

•

ФОТОГРАФИЯ

1

— Эй! Андрей Павлович, вы меня слышите?

Прежде чем открыть глаза, он услышал писк аппарата искусственного дыхания, и от этого звука к горлу его подкатила тошнота.

— Андрей Павлович!

Голос принадлежал доктору Чурсину.

Темченко открыл глаза и увидел перед собой приветливое лицо врача.

— Я спал? — хрипло спросил Андрей.

— Да. Целых одиннадцать часов.

Темченко бросил взгляд на свое тело, которое почему-то снова казалось ему чужим, и понял, что ноги его загипсованы. Он сглотнул слюну и спросил дрожащим от подступающей паники голосом:

— Что со мной?

— Вы упали и сломали пару костей.

— Каких?

— Малоберцовую, на левой ноге. И еще — шейку правого бедра. Я предупреждал, что вам нельзя подниматься с постели. Кости еще слишком хрупки.

— Я очень плохо себя чувствую.

— Да. Понимаю.

Доктор Чурсин с тревогой взглянул на монитор. И по его лицу, по его взгляду Андрей понял, что дела обстоят хуже, чем он мог предположить. Он облизнул губы и тихо спросил:

— Что теперь будет, док?

— Мы будем вас лечить.

— А потом?

Евгений Борисович снял очки и достал из кармана салфетку.

— Одно из двух: либо мы вас вылечим, либо...

— Либо я умру?

— Мы вас вылечим, — уверенно и поспешно (слишком поспешно) сказал Чурсин. Он водрузил очки на нос и произнес ободряющим голосом: — Пока ваше состояние стабильно. Будем надеяться, что вам не станет хуже. Ну-с, а теперь я вас ненадолго покину. Мне нужно навестить других больных.

Покинув палату и закрыв за собой дверь, доктор несколько секунд молча стоял, угрюмо о чем-то размышляя, потом вздохнул и тихо пробормотал:

— Жаль. Все-таки у меня была надежда.

Он снова вздохнул, повернулся и зашагал по коридору.

Андрей не сразу сообразил, что остался в палате не один. На стуле, у него в ногах, сидела Лиза Пояркова.

— А, Лиза, — с горечью произнес он. — Видите, как все получилось. Хотел через неделю пригласить вас на танец, а теперь... — Андрей замолчал, на скулах его вздулись узлы желваков.

Лиза улыбнулась:

— Все будет хорошо, Андрей. Мы еще потанцуем. Не через неделю, так через месяц. Вы, главное, не торопитесь. И ни о чем не беспокойтесь. Все будет так, как должно быть. Не огорчайтесь. Договорились?

— Я попробую, — сказал он.

Она заботливо укрыла его покрывалом. Андрей посмотрел на тонкие руки, на ее чистое лицо, с которого, казалось, никогда не сходило выражение легкого смущения. Потом собрался с духом и проговорил:

— Лиза... Пока я спал, ко мне никто не приходил?

Она посмотрела на него удивленно.

— Нет. А вы кого-то ждете?

— Одна женщина... — Темченко запнулся. Выдавил улыбку. — Да нет, ерунда. Ничего.

Он повернул голову и посмотрел на белый квадрат окна. Внезапно Андрей испытал отголосок того ужаса, который посетил его ночью.

— Лиза, вы можете зашторить окно? — попросил Темченко.

— Да.

Она поднялась со стула, подошла к окну. Андрей закрыл глаза, на него накатила смертельная усталость.

Вот и все, тягостно думал он. Никаких перспектив не осталось. Кости слишком хрупки, чтобы срастись, это очевидно. Я переживал, что мне сорок и впереди осталось мало времени. Но, похоже, теперь у меня его нет вообще.

Из-под его сомкнутых век просочились слезы.

Андрей впал в оцепенение и пребывал в нем, пока Лиза его не окликнула и не сообщила:

— Андрей, к вам пришел тот журналист! Глеб Корсак!

— Да, — тихо отозвался он, не открывая глаз. — Пусть войдет.

* * *

Разговор у них не заладился. Собственно, говорить им было не о чем. Корсак собирался рассказать бывшему школьному приятелю о своей лесной находке, но доктор Чурсин предостерег его от этого, опасаясь, что столь жуткая новость подействует на пациента отнюдь не благотворно.

Обменявшись несколькими ничего не значащими фразами, они долго молчали. Корсак заерзал на стуле и уже хотел сказать, что уходит, но тут Андрей заговорил о том, что его волновало больше всего.

— Слушай, Глеб, я тут кое-что вспомнил. Я не совсем уверен, но... Ну, в общем, в тот день мы, кажется, поехали в лес с ребятами, чтобы отпраздновать мальчишник. Ты ведь знаешь, что такое мальчишник? — уточнил Андрей, глядя на Корсака.

— Догадываюсь, — ответил Глеб.

— Мы поехали на мальчишник к... — Темченко сбился и наморщил лоб. — Как же его... Игорь, Игорь... Пряшников? Да, кажется, Пряшников. Он учится... То есть учился в МГИМО на дипломата.

Глеб достал из кармана блокнот и ручку и записал то, что услышал.

— Кто еще с вами был? — спросил он затем. — Андрей, мне нужны все подробности.

— Я помню только Игоря. И еще — Виталика. Виталика Борзина. Помнишь, в школе он сидел перед нами? Он и пригласил меня на мальчишник. От имени Игоря Пряшникова, разумеется. Кажется, после школы Виталик поступил в МГУ. Собирался стать политологом.

— Значит, в лесу вас было трое? — Глеб принялся загибать пальцы. — Ты, Игорь Пряшников, Виталик Борзин. Так?

— Вроде да, — не совсем уверенно ответил Андрей. — Точно я тебе сказать не могу. В голове какие-то обрывки, лица, фразы... Как будто сон забытый вспоминаю. — Он едва заметно усмехнулся. — Вспоминаю, и никак не могу вспомнить.

— Значит, ты не помнишь, что было в лесу?

Темченко снова покачал головой:

— Нет. Помню только, как ехал... В машине играла музыка... Какая-то дурацкая, но модная в то время. «Я мажу губы гуталином... Будем опиум курить»... Как-то так. На этом все обрывается.

Андрей облизнул запекшиеся губы сухим языком и тяжело вздохнул:

— Ох, брат, если бы ты знал, как это жутко.

— Я знаю.

— Откуда?

— У меня хорошее воображение.

Темченко улыбнулся, но увидел, что Глеб абсолютно серьезен, и согнал улыбку с лица. Он хотел что-то сказать, но не смог, однако собрался с духом и спросил — негромко, виновато:

— Ты вспоминаешь нашу химичку?

— Иногда, — ответил Глеб.

— И что при этом чувствуешь?

— Ничего. Просто картинка из далекого прошлого.

— Далекого... — повторил Темченко. И вздохнул: — Не такого уж и далекого.

Глеб посмотрел на часы.

— Ты знаешь, мне уже пора.

— Да. Конечно.

Глеб поднялся со стула, втайне чувствуя облегчение, что тягостный и никчемный разговор закончился, и ему больше не нужно изображать заботливого друга.

— Ты найдешь их? — спросил Андрей.

— Пряшникова и Борзина?

— Да.

— Попробую.

— Позвонишь мне?

— Да. Выздоравливай.

Темченко выпростал из-под одеяла руку и протянул ее Корсаку. Глеб осторожно пожал слабые пальцы Андрея, повернулся и вышел из палаты.

Пять минут спустя Глеб забрался в машину и захлопнул дверцу.

— Как тебе этот сумасшедший? — осведомился двойник. — Смешной, правда?

Глеб достал из кармана плаща флакон с таблетками.

— Ну-ну-ну, зачем же так сразу? — иронично протянул двойник. — А перекинуться парой слов?

Глеб вытряхнул пару таблеток на ладонь и швырнул в рот. Потом достал из бардачка бутылку минеральной воды, открыл ее и сделал большой глоток. Откинулся на спинку кресла и, прикрыв глаза, расслабил мышцы.

— Я все равно вернусь, — услышал он голос призрачного двойника. — Ты ведь это знаешь?

— Знаю, — ответил Глеб, не открывая глаз.

— И буду возвращаться снова и снова. И знаешь что... Когда-нибудь я вернусь, чтобы остаться навсегда.

— Это вряд ли.

Через несколько минут Глеб открыл глаза и завел машину. Двойника рядом уже не было.

2

Дверь открыла пожилая женщина с испитым, одутловатым лицом. Одета она была в латаный-перелатаный, но некогда дорогой и роскошный восточный халат. В лицо Глебу пахнуло душным и затхлым запахом жилища, пропитанным слабыми, но от этого не менее отвратительными нотками протухших сигаретных окурков и дешевого алкоголя.

Глеб приветливо улыбнулся.

— Здравствуйте! Я к Игорю Пряшникову. Он ведь здесь живет?

Мутный взгляд женщины слегка прояснился.

— И... Игорь? — Голос был сиплый, грубый, из тех, что называют «пропитыми». Она окинула его взглядом с ног до головы: — А вы кто?

— Я его знакомый, — сказал Глеб. — Друг друга.

Пару секунд женщина соображала, потом открыла дверь шире.

— Входите!

Она посторонилась, впуская Корсака в прихожую.

А квартира оказалась весьма любопытной. Просторная «сталинка» с высоченными потолками. Гипсовые молдинги и розетки, роскошная бронзовая люстра со сверкающими хрустальными подвесками. Но половины подвесок недоставало, а великолепные обои ныне были вытерты и ободраны. На стенах — тяжелые позолоченные рамы, пустые, уже без холстов.

Было видно, что квартира, как и ее обитатели, когда-то знавала лучшие времена.

По всей вероятности, хозяева продали все, что можно было быстро и недешево продать. Но кое от чего они так и не смогли отказаться. Например, от бронзовой пепельницы, изображающей раковину, которую поддерживали два крохотных амура-путти. Отличное французское литье начала или первой четверти прошлого века. Хватило бы не на одну бутылку хорошего коньяка. А про плохой и говорить не приходится.

Впрочем, эти остатки былой роскоши смотрелись жалко и неуместно.

— Я мама Игоря, Виктория Андреевна, — представилась женщина, проводя Корсака в гостиную.

Здесь Глеб смог рассмотреть ее детальнее. У нее было бледное неровное лицо, морщинистое и пористое, как поверхность хлеба на срезе. Длинные сальные волосы, когда-то черные, а сейчас седые, свисали на округлые плечи неухоженными и давно нечесанными патлами.

— Володя, — снова заговорила она, — этот молодой человек ищет Игоря.

— Игоря? — повторил старческий слабый голос.

Глеб обернулся. Увлеченный разглядыванием комнаты, он не сразу заметил седовласого старика, сидевшего в массивном кресле, в самом темном углу, и одетого в старомодную меховую жилетку-«душегрейку».

Старик был примечательный — горбоносый, сухой, с жестким взглядом. Глеб решил, что он похож на старого рыцаря, проведшего жизнь в сражениях и ушедшего на покой.

— Зачем вам Игорь? — сухо спросил старик.

— Я давно с ним не виделся, — ответил Глеб. — Хотел поговорить.

— Давно? — Старик прищурился на Корсака, потом скосил глаза на пожилую женщину. Та нахмурилась.

— Игоря здесь давно нет, — сказала она.

— А где же он?

— Он умер! — сипло рявкнул старик, словно старый ворон прокаркал. — Семнадцать лет тому назад!

Должно быть, прозвучало это слишком грубо, потому что женщина тут же, покраснев, улыбнулась Глебу радушной улыбкой и, явно пытаясь исправить ситуацию, предложила:

— Хотите чаю?

— Спасибо, — сказал Глеб. — Не откажусь.

Она вышла из комнаты. Глеб остался наедине со стариком. Его светлые глаза пристально смотрели на Корсака. Цветом они напоминали грязное стекло. Почувствовав себя неловко, Глеб одернул пиджак.

— Меня зовут Владимир Яковлевич, — представился старик. — Я отец... вернее, был когда-то отцом Игоря.

— Очень приятно, — вежливо сказал Глеб. — Я хочу извиниться за...

— Вы ведь никогда не знали Игоря, верно? — перебил его старик, продолжая пристально вглядываться в лицо Глеба.

— Верно, — отозвался тот.

— Тогда к чему это вранье?

Глеб пожал плечами и ответил честно:

— Я хотел встретиться с ним.

— Зачем?

— Один мой знакомый... друг детства... много лет назад попал под колеса грузовика и впал в кому. А пару недель назад он проснулся.

Старик смотрел на гостя недоверчиво.

— Разве такое бывает? — хрипло осведомился он.

— Бывает, хотя и редко, — ответил Глеб. — Травму он получил восемнадцать лет назад, когда поехал за город со своими друзьями. Одним из этих друзей был ваш сын Игорь.

— Вот как. — Старик вздохнул. Помолчал. Пожевал немного запавшими губами, затем проговорил негромко: — Значит, для вашего приятеля та поездка едва не закончилась смертью?

— Да.

— Как его зовут?

— Андрей Темченко.

Старик нахмурил морщинистый, покрытый пигментными пятнами лоб.

— Я его помню, — сказал он. — Этот мальчик много раз заходил к Игорю. — Несчастный отец вновь взглянул Глебу в глаза. — С ним все будет хорошо?

— Трудно сказать, — ответил Глеб. — Сейчас он очень плох. И практически ничего о себе не помнит.

— И он надеялся, что Игорь поможет ему вспомнить?

— Да.

Владимир Яковлевич вздохнул.

— Что ж, если так... История была странная и, как мне кажется, скверная. Восемнадцать лет назад Игорь должен был жениться. За несколько дней до свадьбы он решил устроить что-то вроде пикника. Он и еще несколько парней отправились за город, в лес. Игорь говорил что-то про заброшенный охотничий домик...

Старик Пряшников покашлял в тощий кулак. Глеб терпеливо ждал, пока он продолжит. Пряшников немного покряхтел, потом посмотрел на него и сухо произнес:

— Я тогда толком ничего не понял, но возражать не стал. В пятницу, за несколько дней до свадьбы, парни поехали в лес. На следующий день Игорек вернулся, но вернулся... изменившимся.

Старик вновь замолчал. Некоторое время он сидел молча, задумчиво пожевывая губы. Лицо его при этом напоминало посмертную маску. А когда заговорил снова, голос его звучал печально и подавленно.

— Игорь был мрачный, замкнутый, бледный. Он заперся у себя в комнате и почти не выходил, со мной и матерью не разговаривал. А в воскресенье вечером... даже уже ночью... Игорек вышел из своей комнаты, посмотрел на нас и сказал: «Она придет за мной».

Пряшников поднял морщинистые, со вздувшимися венами руки и провел ладонями по лицу.

— До сих пор помню его голос, — сказал он с болью. — Он так это произнес... Таким отчаянным и безнадежным голосом... Будто сам подписал себе смертный приговор и сам привел его в исполнение. Я понял, что Игорь не в себе. Взял его за плечи, тряхнул несколько раз. Он вздрогнул и посмотрел на меня. А потом закричал. Будто увидел не меня, а кого-то... кого-то другого.

В комнату вошла Виктория Андреевна. Поставила на стол чашку с чаем и блюдце с конфетами.

— Угощайтесь, — сказала она отстраненным голосом.

— Спасибо, — поблагодарил Глеб. — А вы со мной не попьете?

— Нет. Я уже пила.

Она прошла к дивану и села на него, не глядя на Корсака.

— Что было потом? — поинтересовался Глеб у старика.

— Мы с матерью принялись таскать его по лучшим психиатрам и психологам, — продолжил Владимир Яковлевич свой рассказ. — Сначала улучшений не было. Игорь постоянно пребывал в депрессии. Днем сидел в своей комнате и все время что-то бормотал, ночами кричал во сне. Мы пытались у него выведать, что произошло в лесу. Но ничего толком не узнали.

Виктория Андреевна сидела на диване, с напряженным вниманием слушая мужа. Иногда она приоткрывала губы, словно хотела что-то сказать или возразить, но с губ ее не срывалось ни слова.

— А как же свадьба? — спросил Глеб, отпив бледного безвкусного чаю. — Игорь ведь должен был жениться через несколько дней.

— Свадьбу отменили, — сказал Владимир Яковлевич. — А примерно через месяц невеста Игоря вышла замуж за другого.

— Как это воспринял Игорь?

— Никак. Он был равнодушен ко всему. Мы не сдавались и продолжали лечение. И со временем... где-то через полгода, Игорю вроде полегчало. Он снова стал выходить на улицу, собирался восстановиться в институте. В общем, стал почти таким же, как прежде.

— Вам не нравится чай? — спросила вдруг Виктория Андреевна.

— Что вы, — растерянно ответил Глеб. — Чай замечательный.

Двойник, стоявший у двери, слегка похлопал в ладоши.

— Браво! — похвалил он. — И ведь как искусно врешь, а!

Глеб покосился на него, но тут же отвел взгляд и сжал зубы.

— Несколько месяцев все было хорошо, — продолжил свой рассказ Владимир Яковлевич. — Но однажды вечером во время жуткого ливня к нам в дверь кто-то позвонил. Мы с матерью были в гостиной, Игорь пошел открывать. Мы слышали, как щелкнул дверной замок, как открылась дверь... А потом Игорь вскрикнул и захлопнул створку. Мы бросились в прихожую. Игорь стоял там, прижавшись спиной к стене, бледный, оцепеневший. Я спросил, кто это был и что случилось? Игорь ответил: «Ничего. Ошиблись квартирой». Потом он прошел к себе в комнату и заперся там. Я открыл входную дверь, выглянул в подъезд. В лестничной клетке было пусто, но на полу я увидел чьи-то... Чьи-то мокрые следы, — с усилием договорил старик.

Он замолчал, чтобы перевести дух.

— Как вам чай? — снова спросила Виктория Андреевна, напряженно глядя на Глеба.

— Спасибо, чай вкусный, — ответил он.

Пожилая женщина провела пальцами по лицу, будто смахивала с него паутинку.

— Кажется, я вас об этом уже спрашивала? — растерянно спросила она.

— Да, — ответил Глеб.

— Простите. Я постоянно все забываю, — сказала хозяйка дома.

— Ничего страшного, — произнес Владимир Яковлевич, хмуро глядя на Корсака. — Это никому не мешает. Ведь правда?

— Правда, — сказал Глеб.

Виктория Андреевна вжалась в диван. Вздохнула и скорбно свела брови, отчего морщины вокруг глаз стали заметнее.

— Что было потом, Владимир Яковлевич? — спросил Глеб у старика Пряшникова.

Тот вздохнул.

— Утром Игорь не вышел из своей комнаты. Мы ждали до полудня, потом вошли к нему сами. Наш сын сидел в кресле лицом к окну. Мы его окликнули, он не отозвался. Когда я подошел ближе, то увидел, что...

Виктория Андреевна всхлипнула.

— Наш мальчик перерезал себе горло, — продолжил старик, не обращая внимания на жену. — На полу валялась бритва.

Виктория Андреевна поднялась с дивана и, всхлипывая, стремительно вышла из комнаты. Владимир Яковлевич проводил ее задумчивым взглядом. Потом посмотрел на Глеба и резюмировал:

— Вот и вся история.

Он нагнулся вперед, чтобы поправить на коленях плед, и свет от тусклой лампы упал ему на лицо. Глеб увидел, что кожа у старика морщинистая, иссушенная, темная, словно обжаренная в золе.

— Да... — задумчиво проговорил Корсак. — История странная.

— Я нашел у него в комнате фотоаппарат, — снова заговорил Владимир Яковлевич. — Игорек брал его с собой в лес.

— В ту самую поездку?

— Да. В фотоаппарате была пленка. Я достал ее и проявил.

— Вы напечатали снимки? Можно на них взглянуть?

В комнату вошла Виктория Андреевна. Глаза у нее были сухие, губы — плотно сжаты.

— Виктория, покажи нашему гостю фотографию, — попросил старик. И добавил со значением: — *Ту самую.*

Его жена кивнула и подошла к стеллажу. Глеб ожидал, что она даст ему альбом, но женщина протянула ему одну-единственную фотографию, затянутую в прозрачный пластик.

— Это все? — удивился Глеб.

— Да, — сказал Владимир Яковлевич. — У фотоаппарата был расколот объектив. Пленка засветилась — вся, кроме этого первого кадра.

Глеб взглянул на фотографию.

— Который из них ваш сын?

Старик протянул руку и показал морщинистым пальцем на худощавого брюнета.

— Вот он. А вот этот рыжий — Андрей Темченко. Этот — Виталий Борзин. До той поездки он дружил с Игорем, но после возвращения так ни разу ему и не позвонил. А вот этот белобрысый — Артур Ройзман. Он к нам никогда не заходил.

Глеб с интересом разглядывал улыбающиеся лица четырех парней.

— Могу я взять эту фотографию? — спросил он затем. И добавил, заметив недовольство в глазах старика: — На время, с возвратом.

Муж и жена переглянулись.

— Фотографию мы вам не дадим, — заявил Владимир Яковлевич. — Она нам слишком дорога.

Глеб кивнул:

— Понимаю. Тогда можно я ее хотя бы перефотографирую?

Стариков эта просьба явно сбила с толку. Тогда Глеб достал из сумки мобильник и показал им.

— На это.

Затем нашел в меню телефона функцию фотокамеры, навел глазок объектива на снимок и, не дожидаясь разрешения, щелкнул затвором.

Выйдя из подъезда на улицу, Глеб с удовольствием вдохнул полной грудью свежий осенний воздух, пытаясь промыть им легкие от затхлой атмосферы квартиры-склепа, в которой два старика доживали отпущенные им годы.

Возле машины, уже открыв дверцу, Глеб достал из сумки мобильник и набрал номер Маши.

— Майор Любимова слушает, — официально отозвалась она.

— Маш, привет! Это я. Надо поговорить.

— Здравствуй, Глеб. Нет проблем. Подъезжай к нам на Петровку.

— Выпишешь пропуск?

— Конечно. Когда тебя ждать?

— Прямо сейчас.

— Хорошо. Жду.

Глеб убрал мобильник в сумку и забрался в машину.

3

Сорок минут спустя журналист Корсак остановился у приоткрытой двери кабинета. Оттуда доносился звонкий голос Стаса Данилова, который, как обычно, доказывал кому-то, что женщины — настоящие исчадия ада.

Несколько лет назад Стас застукал свою жену с другим мужчиной. Данилов тут же развелся с изменницей, хоть и любил ее со школы, а потом объявил женщинам войну. С тех пор он разбил немало женских сердец.

— И знаешь, что меня убило? — насмешливо сказал Стас.

— Что? — пробасил в ответ Толя Волохов.

— Меня убили слова этих двух шалав. «Мы хотим парня, которого все называют «босс», у которого тачка из цельного бриллианта, а сам он какает золотом!» Ну, что-то типа этого выдали.

— И что тебя возмутило? Выйти замуж за богача — мечта всех баб.

— Так-то оно так. Но мне хотелось каждую из них спросить: «А ты кто, блин, такая? Что ты сделала, чтоб у тебя такой мужик был, а? Наела здоровенную жопу? Сиськи с губищами отрастила? Да таких, как ты — рупь ведро в базарный день!

Волохов гоготнул.

— Не, ну нормально? — продолжал возмущаться Стас. — Какие-то две оборванки, живущие в тухлом гетто, а в их доме самое ценное — это просроченные квитанции на оплату за жилье, хотят себе чуть ли не Романа Абрамовича! Вот это самомнение у теток.

— Да ладно тебе, — миролюбиво сказал Толя. — Пусть хотя бы помечтают.

— Так и хотелось заявить им: «Запомните, бабоньки — браки совершаются между людьми одной социальной группы. Так что хотите замуж за принца — читайте сказки и смотрите мыльную фигню по каналу «Россия». А в жизни таким, как вы, светит только такой же оборванец и неудачник, как вы сами». Знаю я, правда, несколько примеров, когда хорошие парни на таких тварях женились... Но, как правило, это заканчивалось разводом или историей про большой черный мешок для мусора, лопату, жгуты, пилу и — на машине в лес!

Глеб услышал за спиной шаги, обернулся и увидел Машу. Он бесшумно прикрыл дверь и двинулся ей навстречу.

— Привет, Глеб! — поприветствовала его она.

— Здравствуй!

— Я в курилку. Покуришь со мной?

— Давай, — кивнул Глеб.

На лестничной площадке, перед большим окном Маша закурила.

— Тяжелый сегодня день, — со вздохом сказала она. — Я с утра на взводе.

— А что случилось? — спросил Глеб.

— Проверка из Главного управления собственной безопасности.

— По поводу?

— По поводу вымогательства денег у одного задержанного отморозка и нанесения ему тяжких телесных. Наш отдел к этому не причастен, но Старик боится, что мы тоже попадем под раздачу. Что-то вроде «профилактической порки».

— У тебя могут быть неприятности?

— Не знаю. Все возможно.

— А что за отморозок?

— Депутатский сынок. Порезал девушке лицо ножом.

— Сильно порезал?

— Очень. Щеки, нос, и главное — глаза. Девушка останется инвалидом на всю жизнь. При задержании гаденыш оказал сопротивление. Кричал, что всех посадит, и все такое. Парням из второго отдела пришлось дать ему по голове. А гаденыш оказался сыном депутата Госдумы. Накатал на оперов телегу — дескать, били, вымогали деньги. Ну, и все прочее.

Маша затянулась коричневой сигаретой, выпустила струйку дыма и с горечью добавила:

— Самое обидное, что и прижать его теперь не получится. Сверху пришло распоряжение спустить дело на тормозах, а из хранилища пропали главные улики, так что доказать вину этого слизняка мы не сможем. Девочке по частям собрали лицо, а он будет гулять на свободе и наслаждаться жизнью.

— Да, дела, — сочувственно проговорил Глеб и машинально стряхнул со своей сигареты «пепел» в железную урну.

Маша улыбнулась.

— Она же электронная, — напомнила она.

— Что?

— Я говорю: ты куришь электронную сигарету.

— Да? — Глеб хмыкнул. — Никак не могу привыкнуть.

— Зачем она тебе вообще?

— Постепенно снижаю количество никотина.

— Постепенно? — Маша посмотрела на Глеба с любопытством. — На тебя это не похоже. Насколько я помню, ты всегда был сторонником радикальных мер.

— Я изменился, — сказал он.

— И насколько сильно?

Глеб улыбнулся:

— Кардинально.

Маша хотела что-то сказать, но вдруг уставилась в окно и с ненавистью произнесла:

— Вон он идет.

— Кто? — не понял Глеб.

— Тот парень, что порезал девушку. Бадри Гурамов, депутатский сынок.

Лицо Глеба вытянулось от удивления.

— Ее порезал Бадри Гурамов?

Маша метнула на него быстрый неодобрительный взгляд.

— Ты его знаешь?

— Играл с ним как-то в карты.

Маша строго спросила у Глеба:

— Ты по-прежнему садишься за игральный стол с бандитами? Когда-нибудь для тебя это плохо кончится.

Она отвернулась от окна. Сделала еще пару затяжек и поинтересовалась, глянув на Корсака сквозь пелену дыма.

— Кстати, а ты зачем пришел-то?

Он достал из кармана мобильник, нашел фотографию четырех парней и показал Маше.

— Кто это? — спросила она.

— Андрей Темченко и три его приятеля, — ответил Глеб.

Маша посмотрела на снимок внимательнее.

— Откуда фотография?

— Навестил родителей Игоря Пряшникова. Вот он. — Глеб показал пальцем на худощавого брюнета. — Сразу после возвращения из охотничьего домика Игорь отменил свадьбу и впал в депрессию. Ему снились кошмары. Примерно год он лечился у психиатров, а потом перерезал себе горло. Перед этим его кто-то навестил. Родители не видели, кто именно, но слышали, как Игорь открыл дверь и вскрикнул. Это было вечером. А ночью он покончил с собой.

Маша обдумала его слова, затем сказала:

— Давай подытожим. Восемнадцать лет назад четверо парней отправились в лесной домик, чтобы устроить там вечеринку. Один из них, Андрей Темченко, в ту же ночь оказался под колесами грузовика, из-за чего впал в кому, из которой вышел пару недель назад. Второй, Игорь Пряшников, перерезал себе горло. Я все верно излагаю?

— Да.

Маша сдвинула брови, отчего лоб ее прорезали две поперечные морщинки.

— Нужно найти оставшихся двух парней, — сказала она. — Ты выяснил, как их зовут?

— Выяснил, — ответил Глеб. — Виталик Борзин и Артур Ройзман. С Борзиным я вместе учился в школе. Довольно гнусный был паренек.

Маша снова посмотрела на снимок.

— Который из них?

— Вот этот. — Глеб показал на жилистого востроносого типа с глумливыми глазами и капризным ртом.

— Неприятная мордочка, — резюмировала Маша.

— Угу, — согласился Глеб. — Как у хорька. В школе мы его так и называли — Хорек.

В руке у Маши запиликал мобильник. Она глянула на дисплей, нахмурилась, затем поднесла трубку к уху.

— Алло... — Несколько секунд она слушала, потом коротко сказала: — Иду, Андрей Сергеич.

Опустила трубку, посмотрела на Глеба печальным взглядом и объяснила:

— Старик снова вызывает. У тебя случайно нет с собой мыла или вазелина?

Глеб усмехнулся:

— Нет. С собой не ношу.

Маша вздохнула:

— Ладно, придется так. Скинь мне по мейлу имена парней и эту фотографию, ладно?

— Сделаю, — пообещал Глеб.

— И давай пропуск. Подпишу.

Глеб протянул ей бумажку и ручку — Маша поставила подпись. Потом бросила окурок в железную урну, приподнялась на цыпочки, поцеловала Глеба в щеку и стремительно вышла с лестничной площадки в коридор.

4

Неподалеку от здания ГУВД располагалось довольно уютное кафе, в которое когда-то, будучи «гражданским супругом» майора Любимовой, Глеб частенько захаживал. Решил он зайти туда и сегодня.

Еще от двери он увидел человека, которого совершенно не ожидал здесь встретить. Бадрик Гурамов, элегантно одетый, модно небритый, сидел за дальним столом и пил темное пиво, заедая его солеными орешками. Вид у парня был наглый и самодовольный. И не изменился, когда Глеб подошел к столу.

— Здравствуй, Бадрик! — поприветствовал его Корсак и без приглашения сел к нему за стол.

Гурамов поднял голову.

— Корсак? — Он осклабился. — Тебя каким ветром сюда надуло?

Глеб посмотрел в черные глаза Бадрика и сухо осведомился:

— Говорят, ты порезал девчонку?

Гурамов бросил в рот горсть орешков, с хрустом раскусил их и протянул:

— Слушай, Корсак, шел бы ты отсюда.

— Уйду, — сказал Глеб. — Но для этого ты должен кое-что сделать.

— Да ну? — Бадрик шумно отхлебнул пива. — И что же?

— Хочу, чтобы ты забрал свое заявление, — спокойно произнес Глеб.

— Заявление? Какое?

— О том, что менты вымогали у тебя деньги.

Бадрик удивленно моргнул.

— А ты что — состоишь на содержании у полицаев?

— Нет, — сказал Глеб. — Просто не люблю подонков, которые гадят другим людям.

Несколько секунд Бадрик соображал, потом ухмыльнулся и насмешливо сказал:

— Понимаю. Твоя бывшая работает в полиции. Она попала под раздачу, да?

— Забери заявление, Бадрик. Не осложняй себе жизнь.

Гурамов прищурил черные глаза, лицо его на миг приобрело свирепое выражение, но вдруг черты его разгладились и он усмехнулся.

— Хочешь, чтобы я забрал заявление? Хорошо. — Он сунул руку в карман куртки, достал колоду карт и положил на стол. — Давай сыграем. Выиграешь — заберу заявление. Проиграешь — я забираю твою «бэху». Согласен? Или тебе слабо?

Он смотрел на Корсака насмешливо, с презрением, как наследный принц на придворного шута.

Глеб добродушно улыбнулся:

— Идет. Предлагаю сыграть коротко — на чистую удачу.

— Это как?

— Достанем из колоды по одной карте. Чья карта будет старше, тот и победил. Согласен?

— Давай.

Бадрик перетасовал колоду и снова положил на стол.

— Ты первый, — сказал он Глебу.

Тот пожал плечами и снял верхнюю карту. Гурамов взял ту, что лежала под ней. Каждый из них положил свою карту перед собой, рубашкой вверх, и посмотрел противнику в глаза.

— Ну что? — подрагивающим от азарта и волнения голосом спросил Бадрик.

Глеб перевернул карту. Это была восьмерка пик. Гурамов перевернул свою.

— Крестовая шестерка, — спокойно произнес Корсак. — Ты сегодня же заберешь заявление.

Глеб встал из-за стола и, не прощаясь, двинулся прочь.

— Я знаю, что твоя подружка — ментовка! — яростно крикнул ему вслед Бадрик. — Погоди, я еще с ней развлекусь!

Глеб остановился, развернулся и двинулся обратно. Гурамов вскочил со стула и шагнул ему навстречу. Корсак был чуть выше ростом, но Бадри — коренастее и массивнее. Дрался Корсак неплохо, к тому же на его стороне был опыт. Он легко увернулся от кулака Бадрика и двинул ему правой в челюсть.

Гурамов рухнул на пол. Глеб схватил его за шиворот, рывком поднял на ноги и с силой потащил к выходу.

— Стой! — заверещал Бадрик, упираясь. — Стой, падла!

Глеб распахнул дверь, швырнул мерзавца вперед и мощным пинком под зад выкинул его на улицу.

Тот вскочил на ноги и заорал, трясясь и брызгая слюной от ярости:

— Тебе конец! Ты труп! Я тебя урою, понял?

— Понял, понял. — Глеб усмехнулся. — Лопату не забудь купить.

Он повернулся и снова вошел в кафе, намереваясь заказать себе чашку кофе, а затем отправиться на поиски Артура Ройзмана и Виталика Борзина.

На душе у Корсака было погано. Во-первых, все это дело с «адским мальчишником» сильно попахивало чертовщиной, а Глеб ненавидел мистику, замешанную на крови. Он не считал себя стопроцентно верующим христианином или прирожденным эзотериком, но приоткрытые двери в потустороннее всегда вызывали в его душе чувство, которое можно было бы назвать метафизическим дискомфортом.

Четверо молодых «нуворишей» отправились в лес и закатили вечеринку в охотничьем домике. Потом там откуда-то взялась женщина. Непонятно, что было дальше, но с дамой поступили очень плохо. Кто-то вбил ей в грудь осиновый кол, а затем облил ее бензином и поджог.

Кто убил эту даму? Темченко, Борзин, Пряшников и Ройзман? Или там был кто-то еще, а эти четверо просто оказались рядом?

Ясно одно: парни были страшно напуганы. Один из них выскочил на трассу, угодил под машину и впал в кому. Второй вернулся из леса сам не свой. Жизнь его превратилась в нескончаемый кошмар, выходом из которого стало самоубийство.

О чем это говорит? О том, что ужас, который парни пережили в лесу, не оставил их. Кошмарный сон, начавшийся там, продолжился и настиг их в городе. Игорь Пряшников был уверен, что его кто-то преследует. И предпочел перерезать себе горло — лишь бы не угодить в лапы преследователя.

— Еще кофе?

Глеб поднял взгляд и увидел официанта.

— Спасибо, мне хватит. Принесите, пожалуйста, счет.

Официант кивнул и удалился. Глеб осторожно огляделся по сторонам, опасаясь увидеть своего двойника. Но того нигде не было. Действие таблеток еще не прошло.

Глеб потер пальцами глаза.

«Ведьмы и колдуны существуют, Глеб! — зазвучал у него в ушах мальчишеский голос. — Я докажу тебе это! И тогда мы посмотрим, кто из нас прав!»

Он качнул головой, прогоняя наваждение.

К столику подошел официант и положил перед ним счет. Расплатившись, Глеб отправился в туалет — сполоснуть лицо. Его не покидало странное ощущение, будто, попытавшись приоткрыть завесу тайны над лесным происшествием, он подставил под удар свою собственную голову и из зрителя кошмарного сна превратился в его участника.

Открыв кран, Глеб набрал пригоршню холодной воды и плеснул себе в лицо. Потом посмотрел на себя в зеркало. И, как всегда, не мог понять, на кого он похож больше: на частного сыщика, на журналиста или на рассеянного преподавателя литературы из провинциального вуза.

Худощавое лицо, горбинка на носу, карие глаза, в глубине которых тлел сумасшедший огонек, прячущийся за спокойным, отстраненным взглядом, который многим казался холодным. Нет, не сыщик и не журналист, а художник, живущий своими дикими фантазиями, однако сумевший навести на себя лоск — причесаться, побриться, приодеться — перед встречей с потенциальными покупателями своих картин, в безнадежной попытке сойти за нормального человека.

Глеб пригладил темные волосы влажными руками, потом закрыл воду. Кем бы ни был таинственный преследователь — колдуном, лесовиком, мрачной потусторонней силой — Глеб был уверен, что у него будет шанс взглянуть этой силе в лицо.

Он достал из кармана смартфон, открыл папку с фотографиями и нашел снимок с четырьмя улыбающимися парнями. Один из них не дожил до сегодняшнего дня. Второй проспал крепким сном восемнадцать долгих лет — и, по сути, тоже мертв. А что сталось с оставшимися двумя? Живы ли они вообще?

В душе у Глеба всколыхнулось мрачное предчувствие. Нужно побыстрее найти этих парней.

Корсак хотел убрать телефон в карман, но тут его внимание привлек левый край фотографии. Некоторое время он молча смотрел на изображение, потом облизнул пересохшие губы и хрипло пробормотал:

— Черт... Какой же я дурак. Их было больше.

Глава 5

●

МИЗГИРЬ

1

Три дня назад преуспевающему финансисту Артуру Осиповичу Ройзману исполнилось сорок лет. Стоя у себя в кабинете перед зеркалом, он тяжело вздохнул. Возраст давал о себе знать, и Артур Осипович ясно это видел. Темя слегка полысело, виски слегка поседели. Глаза, когда-то ярко-голубые и блестящие, словно выцвели, белки подернулись желтизной. Наметился двойной подбородок, живот слегка свешивался над ремнем — ничего критичного, конечно, однако все эти признаки вполне можно считать «первыми звоночками», думать о которых Ройзману было тягостно и неприятно.

Он неторопливо вернулся к столу и уселся в шикарное кожаное кресло, чрезвычайно удобное, и удобство это было оправданное. Последние четыре года у Артура Ройзмана сильно болела спина. Врачи диагностировали остеохондроз грудного отдела, осложненный дегенеративными изменениями костей и начавшейся остеопенией.

Узнав о том, что болен, Артур Осипович радикально изменил образ жизни. Каждое утро он начинал с похода в бассейн, а заканчивал день массажем и сауной. Он бросил курить, урезал потребление крепкого алкоголя и купил это шикарное чудо-кресло, сидя в котором практически никогда не чувствовал усталости.

Но это были не самые главные перемены в жизни финансиста Ройзмана. После развода с женой он решил разнообразить свою сексуальную жизнь и сделать ее более интенсивной. Такой, какой она была лет десять тому назад, до того, как его угораздило вляпаться в болото, называемое неуютным словом «брак».

Снова став свободным мужчиной, Артур Осипович пустился во все тяжкие, и был чрезвычайно этому рад. Регулярный секс с юными девушками хоть и бывал утомителен, но помогал ему чувствовать себя молодым. А чтобы восстанавливать растраченную в любовных утехах энергию, Артур Осипович килограммами поглощал шоколад, к которому приохотился после развода. Благодаря стараниям секретарши на рабочем столе у него всегда стояла открытая коробка с конфетами — чаще всего «Марколини» или «Арнелли».

В принципе Артур Осипович имел все основания назвать свою жизнь удавшейся и комфортной. По крайней мере, до сегодняшнего дня. Полчаса назад, просматривая новостной сайт, Ройзман увидел броский заголовок.

ПАЦИЕНТ ВЫШЕЛ ИЗ КОМЫ СПУСТЯ 18 ЛЕТ!

В мозгу Артура Осиповича что-то щелкнуло, и он ощутил беспокойство, еще до конца не осознав, с чем оно связано. А потом вспомнил разговор, который произошел... дай бог памяти... лет пять назад?..

Все началось с телефонного звонка.

— Артур Осипович, вас спрашивает Виталий Вадимович Борзин! — прожурчал из трубки нежный голосок секретарши Вики. — Представился вашим старым другом.

В сердце Ройзмана в тот миг сильно кольнуло, но он быстро взял себя в руки и коротко произнес:

— Соедини.

В тот же вечер Артур и Виталий встретились в небольшом уютном ресторанчике неподалеку от Чистых прудов.

Виталик Борзин выглядел шикарно. Дорогой костюм, дорогие часы, дорогая улыбка с ровным рядом белоснежных зубов. Темно-русые волосы тщательно и искусно уложены. Остроносое лицо («до сих пор похож на хорька», — с удовольствием подумал о нем Артур) тщательно выбрито; морщинки, если и были когда-то, расправлены дорогущим кремом-лифтингом. От всего его облика веяло лоском и ухоженностью.

Артур Осипович подумал, что сам он выглядит лет на пять старше Виталика, хотя на самом деле они ровесники. Он снова вспомнил, что за последний год прибавил к своему весу (и без того немалому) еще шесть лишних килограммов, что лысина его с каждым годом становится все обширнее, а глаза все тусклее.

— Хорошо выглядишь, — словно в насмешку, сказал ему Виталик.

— Ты тоже, — хмуро отозвался Артур.

Они заказали выпить и закусить. Виталик пил виски со льдом, Артур — холодную водку. Минут двадцать они болтали о том о сем, довольно непринужденно и весело. Потом Ройзман сказал:

— Слышал, ты получил назначение в Брюссель?

— Да, пару месяцев назад, — ответил Виталик.

— Это повышение?

Виталик усмехнулся:

— Я бы так не сказал. Ну, а как твой бизнес?

— Развивается потихоньку.

— По-прежнему занимаешься ценными бумагами?

— Да.

Они снова выпили. Ройзман бросил на бывшего приятеля настороженный и выжидающий взгляд, так как догадывался, что Виталик пригласил его не просто так. За последние восемнадцать лет они не то что не встречались, даже не позвонили друг другу ни разу.

Наконец, предварительно помолчав и поморщив лоб, Виталик посмотрел Артуру в глаза и негромко спросил:

— Помнишь Андрюху Темченко?

По лицу Ройзмана пробежала тень.

— Разумеется, — сказал он. — А что?

— Представь себе, он все еще в коме.

— Правда? — Артур отвел взгляд. — Это уже лет пятнадцать получается?

— Тринадцать. Я навещал его. Врач сказал, что все-таки не исключает возможности пробуждения.

Ройзман нахмурился.

— Почему ты о нем вспомнил? — спросил он, не глядя бывшему приятелю в глаза.

— Сам не знаю. — Виталик помолчал немного, потом осторожно спросил: — У тебя никогда не было желания туда вернуться?

Артур посмотрел на Борзина удивленно, словно тот сморозил глупость или сказал что-то в высшей степени абсурдное. Потом, поняв, что Виталик не шутит, покачал головой и ответил:

— Нет.

— Честно?

— Честно.

— А меня, знаешь, иногда подмывает. — Виталик отхлебнул виски и вытер рот салфеткой. Снова посмотрел Артуру в глаза. — Ты ведь знаешь, что Темченко вернулся туда после того, как мы разъехались?

— Нет, — честно сказал Ройзман. — Я этого не знал. Я думал, он попал в аварию, когда возвращался домой.

— Ну, так вот — он вернулся. Слушай, можно я плесну себе твоей водки?

— Конечно.

Виталик допил виски, взял графинчик Артура и налил в стакан водки. Ройзман подождал, пока он выпьет, после чего спросил:

— Зачем он вернулся?

— Что? — рассеянно задал вопрос Виталик, морщась от выпитой водки.

— Зачем Андрей туда вернулся?

— Думаю, он хотел доделать все до конца.

— До конца?

Виталик посмотрел ему в глаза и четко произнес:

— Да. Мы ведь тогда просто сбежали, помнишь?

Ройзман не выдержал его взгляда и отвел глаза.

— Я думал, все было кончено, — сказал он.

Виталик покачал головой:

— Нет. Мы не закончили. Мы испугались. И ты, и я, и Гоша Пряшников. Но Темченко вернулся.

Несколько секунд оба молчали. Первым молчание прервал Артур.

— Как думаешь, он все сделал как надо?

— Не знаю, — ответил Виталик.

— Я бы никогда не смог туда вернуться.

— Я бы, наверное, тоже. После того, что мы сделали... Хорошо хоть не свихнулись, как Гоша Пряшников. До сих пор не могу поверить, что он оказался таким слабаком.

Борзин вздохнул и снова налил себе водки. Ройзман опять подождал, пока он выпьет, затем спросил:

— Виталий, зачем ты меня сюда позвал?

Борзин нахмурился, возле уголков его губ прорезались морщинки горечи.

— Сам не знаю, — тихо ответил он. — Наверное, захотелось перекинуться с кем-нибудь словечком. С кем-нибудь *понимающим*. А ты, как ни крути, единственный, с кем я могу поговорить. Темченко в коме, Пряшников перерезал себе глотку. Остались только мы с тобой.

— Нет, — сказал Артур.

— Что?

— Не только мы.

Некоторое время Борзин хмуро смотрел ему в глаза, потом с натугой, без всякой веселости улыбнулся и сказал:

— Да. Ты прав.

Он достал сигареты и закурил. И снова оба долго молчали.

— Ты женат? — спросил вдруг Виталик, пуская дым. — Дети есть?

— Женат, — ответил Ройзман. — Но детей нет.

— У меня тоже. Почему не заведешь? Боишься, что «проклят до седьмого колена»?

Артур вскинул на него глаза.

— Что ты сказал?

Виталик смутился.

— Прости, дурацкая шутка. — Он немного помолчал, разглядывая скатерть, потом собрался с духом и сказал: — Ну, а что, если это не шутка? Что, если мы правда прокляты? Вспомни о Темченко и Пряшникове.

— Ерунда, — сказал Артур. — Простое совпадение.

— Да... Конечно... — смиренно согласился Виталик и глубоко затянулся сигаретой. — Можно задать тебе один вопрос? — снова заговорил он.

— Давай, — разрешил Ройзман.

— Как ты спишь по ночам?

— Плохо. Но лучше, чем несколько лет назад. А ты?

— Когда как.

— Это странно, — сказал Артур. Он глянул на бывшего приятеля исподлобья и глухо добавил: — На твоем месте я бы вообще не спал.

— Вот как? — Губы Виталика побелели. — Разве мы с тобой действовали не заодно? Или ты не ведал, что творишь? Давай, придумай себе оправдание!

— Потише, — цыкнул Артур. — На нас оглядываются.

Виталик посмотрел по сторонам. Клиенты ресторана и впрямь бросали на них косые осуждающие взгляды.

— Да пошли они! — яростно прошипел Виталик. — Сидят тут, жрут, пьют и думают, что знают цену жизни и смерти. Но на самом деле ни черта они не знают. Вот мы с тобой — знаем. Твое здоровье, старик!

Виталик быстро вылил себе в стакан остатки водки, отсалютовал Артуру и залпом выпил. Потом кинул в рот кусочек хлеба и стал угрюмо жевать.

— Зря я тебе позвонил, — сказал он. — А про Темченко не думай. Он все равно сдохнет во сне. И, скорей всего, намного раньше, чем мы с тобой.

Виталик достал из кармана пухлый бумажник, вынул купюру и швырнул на стол. Затем встал со стула.

— Рад, что с тобой все в порядке, — сказал он. — Береги себя.

— Ты тоже.

Борзин повернулся и зашагал к выходу. А Ройзман смотрел ему вслед и думал о том, что никакие годы, даже если оба они доживут до глубокой старости, не смогут стереть из их памяти охотничий домик, окруженный страшным черным лесом.

И спустя несколько лет, глядя на статью с броским заголовком, Артур Осипович думал о том же самом.

«ПАЦИЕНТ ВЫШЕЛ ИЗ КОМЫ СПУСТЯ 18 ЛЕТ!»

— Нашли чему радоваться, — хмуро проговорил Ройзман. — Скоро многие об этом пожалеют.

На столе мелодично заиграл телефон. Ройзман нехотя взял трубку.

— Артур Осипович, — пропел из трубки нежный голос секретарши. — Вам звонит какая-то женщина.

— Какая еще женщина?

— Она назвалась вашей старой знакомой, — игриво проговорила секретарша. — Но имени не назвала.

Такое случалось и раньше, поэтому Артур Осипович ничуть не обеспокоился.

— Соедини, — приказал он.

Раздался переливчатый музыкальный перебор, означавший соединение. Ройзман протянул руку и пододвинул к себе открытую коробку конфет.

— Слушаю! — сказал он, взял конфету и положил ее в рот.

Ответа не последовало.

— Вы будете говорить или нет? — Ройзман раскусил конфету и почувствовал, как сладкая смесь крема и ликера вытекла ему на язык. — Эй!

И тут он услышал звук — негромкий, непонятный, похожий на шуршание, а затем — на тихий стон. Ройзман перестал жевать и замер, прислушиваясь. Звук повторился и стал протяжным, как горловое пение алтайского шамана. По спине Артура пробежала ледяная волна, а лоб покрылся испариной.

Он нашел в себе силы хрипло пробормотать:

— Я не понима...

Звук чуть усилился. Ройзман замолчал. Отчего-то он весь взмок, но не бросил трубку, лишь крепче прижал ее к уху.

С полминуты Артур просто слушал, и чем дольше, тем сильнее менялось его лицо. Глаза подернулись дымкой, щеки провисли, уголки губ безвольно опустились.

Прошло две минуты, в течение которых Артур Осипович не сделал ни одной попытки перебить собеседника. Он просто слушал, лишь изредка бормоча бесцветным, покорным голосом:

— Да... Да... Да...

Когда разговор закончился, Ройзман положил телефон на стол, встал и с непроницаемым лицом прошел к шкафу. Там он надел пальто, проверил бумажник (достал, открыл, посмотрел, снова закрыл и убрал в карман), после чего вышел из кабинета.

Секретарша Вика при виде босса встрепенулась и быстрым движением поправила прическу.

— Артур Осипович, — с улыбкой заворковала она, — а вы...

Ройзман даже не посмотрел в ее сторону. Он спокойно и ровно прошел мимо нее к двери. (На допросе, состоявшемся через несколько часов, она утверждала, что Ройзман выглядел и заторможенным, и целеустремленным одновременно.)

Вика открыла рот и растерянно моргнула. Босс почти никогда не уходил из офиса посреди рабочего дня, не проинформировав ее о том, где будет и что отвечать на телефонные звонки. Лишь когда он вышел, Вика захлопнула рот и озадаченно почесала щеку длинными лакированными ногтями.

Тем временем Артур Осипович прошел через все офисное помещение, ни с кем не здороваясь и ни на кого не обращая внимания, и вышел на улицу.

Резкий порыв ветра швырнул Ройзману в лицо гроздь колких холодных дождевых капель, но бизнесмен этого даже не заметил. Он прошел на автостоянку, забрался в свой внедорожник, завел мотор и тронул машину с места.

Секретарша Вика стояла у окна офиса и растерянно смотрела вслед отъезжающей машине босса. У нее возникли плохие предчувствия. И они ее не обманули.

2

Петя Давыдов, давнишний друг Глеба и знаменитый московский фотограф, едва открыв дверь, тут же распахнул объятия.

— Здравствуй, б-братское сердце!

— Привет, старина!

Старые друзья обнялись.

— Ну, п-проходи! — Петя положил Глебу руку на плечи и повлек его в гостиную. — «Спустись же с колесницы, во дворец войди!» — процитировал он своего любимого Эсхила. — Сто лет тебя не в-видел! Не знаю, как протянул эти годы!

Глеб засмеялся.

— Моими молитвами и протянул, — сказал он. — Я о тебе часто вспоминаю. Но только соберусь позвонить, как обязательно найдется какое-нибудь срочное дело. Прямо фатум какой-то.

— Да, брат, «и Зевс от п-предрешенной не уйдет судьбы»! Ну, проходи-проходи!

Петя усадил друга в кресло, а сам прошел к шкафу и достал бутылку коньяка и два стакана.

— «Наири», — с гордостью сообщил он. — Двадцать лет в-выдержки. Настоящий армянский, а не какая-нибудь французская пошлятина. Надеюсь, не откажешься?

— Когда это я отказывался от хорошего коньяка?

— И то верно. Нужно быть идиотом, чтобы отказаться от нектара!

Пока Давыдов разливал коньяк по стаканам, Глеб внимательно его рассмотрел. Они не виделись почти три года, но, похоже, время совершенно не властно над Петей Давыдовым. В свои неполные сорок лет он по-прежнему был похож на рыжеволосого, очкастого, всклокоченного мальчишку, каковым, по сути, до сих пор и являлся. Даже одежда его не изменилась. Тот же замшевый пиджак, те же джинсы и кеды, и даже роговая оправа очков с течением лет не претерпела никаких изменений.

— Давай дернем для начала, — предложил Петя, поднимая свой стакан.

— Давай, — согласился Глеб.

— За тех, кто на б-борту! — провозгласил Петя.

— А те, кто за бортом, сами напьются, — с улыбкой добавил Глеб.

Они чокнулись и сделали по паре глотков.

— Ну? — спросил Давыдов. — Как тебе?

— Чтоб я так жил, — отозвался Глеб.

— Будешь! — засмеялся Петя. — Только заходи почаще!

Отпив еще по глотку, они приступили к разговору.

— Ну, рассказывай. Какими с-судьбами?

Глеб иронично прищурился:

— Если скажу, что просто соскучился, ты ведь не поверишь?

— Поверю, — сказал Петя. — А ты правда зашел п-просто так?

Глеб покачал головой:

— Нет. Если честно, у меня к тебе дело.

— Тоже н-неплохо, — кивнул Давыдов. — Ты всегда п-приносишь что-нибудь интересное. Что на этот раз?

— Старая фотография.

— Обожаю старые снимки. Насколько старая?

— Восемнадцать лет.

Петя дернул уголком рта.

— Всего-то? Я-то думал, и впрямь старая. Ну, д-давай, показывай.

Глеб достал смартфон, нашел снимок четырех парней и протянул трубку Пете.

— Вот, взгляни. Что ты видишь?

Давыдов посмотрел на дисплей и ответил:

— Вижу четырех юных б-бездельников.

— А еще?

— Еще?

Петя посмотрел на фотографию внимательнее. В наблюдательности друга Глеб не сомневался. И тот не подвел.

— Вижу пятого, — сказал Петя. — Того, кто фотографирует. Он отражается в зеркале. Если, конечно, это зеркало, а не д-дверца шкафа.

— Больше похоже на створку трельяжа, — сказал Глеб. — Поэтому и отражение немного в профиль. Этот угол снимка сильно засвечен. Ты можешь прогнать его через компьютер и улучшить качество изображения? У тебя ведь есть специальные программы?

Петя усмехнулся:

— Это только в голливудских фильмах все так п-просто. Я м-могу попытаться, но успеха не гарантирую.

— Можешь заняться этим прямо сейчас? Или ты сильно занят?

— Занят, — сказал Петя. — Но для тебя сделаю исключение.

Глеб вдруг вспомнил, что даже не поинтересовался делами приятеля.

— Прости, забыл спросить, где ты сейчас работаешь?

Петя чуть покраснел.

— Обещаешь не побивать меня к-камнями?

— Обещаю.

— Стыдно с-сказать. Я теперь снимаю к-красавиц для эротических журналов. «Максим», «Плейбой»... Но иногда езжу в командировки для «Гео». Отдыхаю душой и телом.

— Неужели можно устать от созерцания обнаженных красавиц? — улыбнулся Глеб.

— Ты даже не п-представляешь, как сильно! — засмеялся Петя.

— Наверное, пережил кучу сексуальных приключений?

— Да какое там, — махнул рукой Давыдов. — Они все какие-то зацикленные. И безумно удивляются, когда узнают, что я не г-голубой.

— Да, в наше время это большая редкость, — согласился Глеб.

— Скоро такие, как мы с тобой, станут ископаемыми. Хотя нам же лучше.

— Чем это?

— Меньше к-конкуренции!

Друзья засмеялись.

— А помнишь наши битвы? — с воодушевлением спросил Давыдов. — Как мы вдвоем против п-пяти скинхедов!

— Было дело, — кивнул Глеб.

— Лихие мы с тобой были парни!

— Не то слово.

— Может, закатим как-нибудь в бар, п-повеселимся как в молодости?

— Как в молодости уже не получится. У меня маленький сын, так что я научился себя беречь.

— Да... — вздохнул Петя. — Везет тебе. Хотел бы и я иметь с-сына. А лучше маленькую дочку. Платья бы ей д-дарил, кукол...

Глеб пригубил коньяк. Вкус у напитка был невероятно густой и богатый.

— А потом бы ходил за ней повсюду с кастетом и отгонял парней, — добавил Глеб.

— Тоже в-верно. — Петя хмыкнул. — Умеешь ты внести долю мрачного реализма в любую розовощекую фантазию. Ладно. Д-давай сюда свой снимок, пойду перекину его на комп и посмотрю, что можно сделать. А ты пока пей коньяк. Как только что-нибудь получится, я тебя п-позову.

Петя взял телефон Глеба, поднялся с кресла и ушел в соседнюю комнату. Корсак допил коньяк, поставил стакан на столик и откинулся на спинку кресла. Таблетки, прогонявшие галлюцинацию-двойника, обладали седативным эффектом. И вскоре Корсак, сам того не заметив, задремал.

Во сне он увидел Машу Любимову. Они лежали в постели, утомленные сексом, и курили. Белокурые волосы Маши раскинулись по его груди и плечу.

— Глеб, — тихо позвала она, глядя на него снизу-вверх.

— Что? — отозвался он.

— Я хотела открыть тебе одну тайну.

— Какую?

Она улыбнулась:

— Ты всегда будешь меня любить.

— Откуда такая уверенность?

— Я тебя приворожила.

Он посмотрел в ее золотисто-карие глаза.

— Ты серьезно?

— Да.

— И как ты это сделала?

— Не скажу. У женщин свои секреты.

Маша затянулась коричневой сигаретой с золотым ободком, выпустила облачко бледно-голубого дыма и посмотрела, как оно расплывается в воздухе.

— Кажется, ты вообразила себя ведьмой? — иронично произнес Глеб.

— Я и есть ведьма, — спокойно отозвалась Маша, по-прежнему разглядывая облачко дыма. — Разве ты не знал?

Он с нежностью погладил ее по волосам. И вдруг замер с искаженным от испуга лицом. Прядь ее волос осталась у него в руке.

— Маша... — хрипло позвал он.

Она подняла лицо, и Глеба прошиб пот — у Маши не было ни глаз, ни носа, ни губ, только бледная, туго натянутая на череп кожа. Глеб хотел сбросить с себя фальшивую Машу, но не смог — на него напало оцепенение, какое часто бывает в кошмарах.

И вдруг сквозь белую гладкую кожу чудовища проступило маленькое темное пятнышко, как чернильная точка сквозь лист бумаги. Пятнышко стало стремительно увеличиваться, пока не превратилось в бесформенный черный рот, и этот рот, широко раскрывшись, пролаял:

— Я же тебе говорила, что я ведьма!

А потом черный рот залаял, захохотал, и морщинистые пальцы безликого страшилища потянулись к лицу Глеба, намереваясь вырвать ему глаза.

* * *

— Глеб! — Петя с силой тряхнул Корсака за плечо. — Глеб!

Тот открыл глаза и рассеянно посмотрел на Петю.

— Что?

— Ты уснул.

— Да?

— Да. И стонал во сне.

Глеб выпрямился в кресле и потер пальцами глаза.

— Мучают к-кошмары? — с сочувствием спросил Давыдов.

— А у кого их не бывает?

— И то верно.

Корсак провел рукою по растрепавшимся волосам и снова взглянул на Давыдова.

— Ну, что скажешь?

— Кое-что п-получилось. Посмотри сам.

Петя сел на соседнее кресло, взгромоздил на колени ноутбук и пробежал пальцами по клавишам. Глеб уставился на экран и присвистнул.

— Да ты просто гений!

— Не без этого, — скромно согласился Петр.

— Можешь распечатать?

— Легко.

Пока Давыдов выводил снимок на печать, Глеб задумчиво морщил лоб. Заметив это, Петя спросил:

— Снимок н-навел тебя на какие-то мысли?

— Да.

— Я рад.

Петя встал, сходил к принтеру и вернулся, держа в руке отпринтованное фото. Протянул его Глебу.

— Держи своего монстра.

Корсак взял снимок, несколько секунд разглядывал его.

— Выглядит жутко, — сказал он.

— Да, — согласился Давыдов и тоже покосился на снимок. — Думаю, это искажение старого з-зеркала. Или дефект оптики.

Глеб ничего на это не сказал. Он сунул распечатку в свою кожаную сумку и встал.

— Петь, прости, но мне нужно идти.

— Да, п-понимаю.

Он протянул Глебу руку.

— Заходи почаще.

— Постараюсь, — сказал тот, пожимая ладонь друга.

— И обращайся, если будет что-то интересное. Я всегда рад тебе п-помочь.

— Спасибо, братское сердце! — искренне поблагодарил Глеб.

Уже в дверях Петя спросил:

— Эти п-парни живы?

— Не все, — ответил Глеб.

— Скверно. Будь осторожен, брат.

— Постараюсь.

Перед расставанием они снова крепко обнялись.

На улице было сыро и ветрено. Вечерело. Неторопливо шагая к машине, Глеб услышал за спиной легкий шорох. Он обернулся, но никого не увидел. Тротуар был пуст, лишь редкие прохожие маячили где-то вдалеке, там, где узкий переулок выходил на широкую улицу. Глеб пожал плечами, сунул в губы электронную сигарету и пошел дальше.

Через несколько минут ему почудился звук шагов. Обладая неплохой реакцией, Глеб сразу обернулся — однако недостаточно быстро, что-то мелькнуло у него перед глазами, острая боль прошила голову, а потом мир с его фонарями, деревьями и домами разлетелся на куски, и Глеб провалился в бездонную пропасть мрака.

3

Дверца «Лексуса» распахнулась, и стройная черноволосая красотка ступила остроносой туфелькой на тротуар. На плечах у нее красовалась норковая накидка, пальцы были унизаны кольцами с бриллиантами.

— Хватит! — крикнула она верзиле в кожаной куртке, который сбил Глеба с ног.

— Мара, сядь в машину! — рявкнул Шалва Георгиевич на любовницу.

— Отстань! — презрительно обронила она через плечо.

Затем подошла к костолому в кожаной куртке и грубо толкнула его руками в грудь.

— Отвали от него, придурок! Пошел!

Громила вопросительно посмотрел на депутата Гурамова.

— Мара! — снова рявкнул тот. — Немедленно сядь в машину!

Она метнула в него яростный взгляд черных глаз, а затем произнесла четко, жестким голосом:

— Вы его больше не тронете, ясно?

— Я сказал: садись в машину!

— Хватит мне указывать, что делать! Ты мне не муж и не отец!

— Мара!

Громила снова шагнул к Глебу и уже занес ногу, чтобы пнуть его по ребрам. Но брюнетка бросилась на него, как пантера, и наотмашь звезданула громилу ладонью по лицу. Парень вскрикнул и отшатнулся. Длинные ногти красотки оставили на его лице кровоточащие царапины.

Депутат Гурамов побагровел от ярости.

— Я заберу у тебя все, что подарил! — яростно крикнул он.

— Подумаешь, напугал. Да я сама тебе все верну! Гурамов прищурился и едко проговорил:

— Может, начнешь прямо сейчас?

— Перебьешься! И вообще — ты мне надоел! Вот найду себе молодого, а тебя брошу!

Глеб тихо застонал на асфальте. Мара перевела на него взгляд, усмехнулась и добавила — так, чтобы услышал Гурамов.

— Вот этого возьму! Он молодой и красивый!

— Что ж... — прорычал депутат. — Оставайся с ним. Отарик, в машину!

Громила кивнул, быстро подошел к машине, держась рукой за расцарапанную щеку, и забрался в салон.

— Трогай! — приказал Гурамов водителю.

«Лексус» покатил прочь. Черноволосая красавица проводила его взглядом, затем, заметив приближающуюся «Волгу» с шашечками, вышла к мостовой и подняла руку.

Пять минут спустя, когда ни Мары, ни Глеба, ни машины с шашечками уже не было и в помине, «Лексус» снова подкатил к обочине. Стекло опустилось, Гурамов выглянул наружу и проворчал:

— Своенравная глупая чертовка.

— Хотите, чтобы я их разыскал? — поинтересовался Отарик.

Гурамов покачал головой:

— Нет, не надо. Сама объявится.

Тонкая смуглая рука опустилась Глебу на плечо.

— Эй, парень! Ты живой?

Красавица Мара тряхнула Корсака за плечо так, что браслеты на ее запястье звякнули.

— Эй, красавчик! Очнись!

Глеб открыл глаза. Посмотрел на потолок, потом на стену, украшенную картинами в золоченых рамах, на белоснежный «пузатый» комод, на кресло, обитое розовым атласом. Затем перевел взгляд на красотку-брюнетку, склонившуюся над ним, а потом и на часть ее роскошной груди, которой было тесно в восточном халате.

— Смотришь на мои сиськи? — весело спросила Мара. — Значит, ожил! Как ты, красавчик?

— Нормально, — тихо проговорил Глеб. — Только голова болит.

— Голова — не х... — резонно заметила Мара. — Сексом заняться сможешь?

Глеб посмотрел на ее нагловатое лицо.

— С кем?

— Со мной, дурачок!

— Спасибо за предложение, но я воздержусь, — сказал он.

— Значит, не хочешь? — удивилась она.

— Не принимай это на свой счет.

— Хм... — Мара задумчиво потерла пальчиком нижнюю губку. — Я тебе не нравлюсь?

— Нравишься.

— Тогда в чем дело? У меня шелковая кожа. Потрогай!

Она взяла руку Глеба и положила на свою обнаженную грудь. Он высвободил руку и, морщась от боли, сел на диване. Потрогал пальцами ушибленный затылок.

— Ты перевязала мне голову? — удивился он.

Мара покачала головой:

— Нет. Просто надела тебе шапочку. Ты женат?

Почувствовав головокружение, Глеб закрыл глаза.

— Нет, — пробормотал он побелевшими губами.

— Но у тебя есть девушка?

Глеб усмехнулся.

— Она считает, что нет.

— А ты как считаешь?

— Неважно.

Глеб открыл глаза и снова осмотрелся.

— Это ты меня сюда привезла? — спросил он.

— Да.

— А кто ты?

— Мара, — представилась она. — Подруга Шалвы Гурамова.

— Ясно.

Он поднял руку и осторожно ощупал голову.

— Она тебя бросила? — спросила Мара.

— Что?

— Твоя девушка — она тебя бросила?

Глеб опустил руку.

— Да.

— Из-за чего?

— Из-за того, что я плохо себя вел.

Мара фыркнула:

— Тоже мне причина! Мужики всегда плохо себя ведут. Ты ей изменял?

— Нет.

— Пьянствовал?

— Не особо.

— Торчал в казино?

— Почти. — Глеб задержал дыхание, чтобы подавить приступ тошноты, а потом коротко пояснил: — Карты.

— Ясно. — Мара вздохнула. — У меня тоже был один такой. Я его любила безумно, а он меня проиграл своему другу. Я потом даже хотела его убить. Но передумала.

— Почему? — спросил Глеб.

Мара махнула рукой и небрежно ответила:

— Поняла, что не хочу садиться из-за этого козла в тюрьму. Слишком много чести! К тому же его друг оказался хорошим мужчинкой. Он меня любил, покупал мне разные подарки. Но он был скучный, и я от него ушла.

— К Гурамову? — уточнил Глеб.

Она усмехнулась:

— Нет. Гурамов случился намного позже.

— Ясно. — Он шумно перевел дух. — Спасибо, что спасла меня, Мара.

— Не за что, красавчик. Я сделала это не для тебя.

— Знаю. Ты хотела насолить Гурамову. И думаю, у тебя это получилось.

— Хорошо, если так! — лучезарно улыбнулась красавица. — Значит, к воскресенью я получу новую шубку! За что Шалвик на тебя взъелся?

— Я побил его сына.

— Ты? Бадрика? — Она окинула взглядом худощавую фигуру Глеба. — А не врешь?

— Нет, — ответил он.

Она улыбнулась, затем наклонилась к Корсаку и поцеловала его в губы.

— Это тебе за Бадрика! Маленький говнюк давно напрашивался, но никто не решался с ним связываться! Ты хоть понимаешь, что Шалва тебя теперь убьет?

— Пусть попробует.

Глеб поднялся с дивана.

— Мара, мне пора идти, — пробормотал он, скривившись от боли. — Еще раз спасибо.

Глеб сделал шаг к двери, но покачнулся и рухнул на пол. Мара посмотрела на него задумчиво, вздохнула и потянулась за телефоном.

— Алло, «Скорая»? — сказала она в трубку, набрав номер. — У меня тут мужчинка. Кажется, ему плохо... Что? Платная? — Она мстительно улыбнулась. — Отлично. Выделите этому человеку лучшую палату! А счет пришлите депутату Шалве Гурамову. Записывайте адрес!

Мара продиктовала адрес, затем отключила связь.

— Шалвик придет в ярость, — не без удовольствия проговорила она.

4

Полицейский фотограф еще несколько раз щелкнул вспышкой фотоаппарата, запечатлевая положение трупа и заставив Машу сощуриться от яркого света.

Обнаженный труп мужчины лежал на постели среди смятых простыней. Руки его были привязаны к железным прутьям спинки кровати, левая — ремнем, правая — галстуком. Запястья стерты и ободраны в кровь. Лицо и шея распухли и посинели. На подбородке и щеках виднелись следы ожогов и капли белого свечного парафина. Рот трупа был зашит черными нитками.

На столике рядом с кроватью стояли бокал и бутылка шампанского «Кристалл», почти пустая.

— Его фамилия Ройзман, — сказал Стас Данилов. — Артур Осипович Ройзман.

Маша кивнула. Остекленевшие глаза трупа были пусты, как у всех мертвецов, но Маша ясно представляла себе, как выглядели эти глаза в течение нескольких минут, когда Ройзман боролся за жизнь, задыхаясь, страдая от боли, которую причиняла ему горящая свеча, стараясь освободить руки.

Фотограф по-прежнему щелкал камерой.

— Кто обнаружил труп? — спросила Маша.

— Уборщица, — ответил Стас. — Она пришла убрать номер. Постучала, не услышала ответа, открыла дверь, вошла и... увидела *это*. — Данилов, стоявший у комода, покосился на труп и добавил: — В ближайшее время она вряд ли куда-нибудь пойдет. Бедняжку полчаса отпаивали валерьянкой.

Судмедэксперт Лаврененков, осматривавший тело, выпрямился и, болезненно скривившись, размял рукою поясницу.

— На первый взгляд смерть наступила от асфиксии в результате анафилактического шока. — Лаврененков усмехнулся и добавил: — Вряд ли этот парень задохнулся от счастья. Хотя эрекция у него была.

Стас невольно взглянул на половой орган мертвеца, похожий на скрученный, подвядший капустный лист.

— Не самая плохая смерть, если подумать, — сказал Лаврененков. — Элвис Пресли, например, умер, сидя на унитазе. А писатель Шервуд Андерсон проглотил зубочистку и скончался от развившегося панкреатита. Так что этому парню еще повезло.

— Семен Иванович, вам кто-нибудь говорил, что у вас больное чувство юмора? — поинтересовался Стас.

— А то. Я ведь судмедэксперт. Я имею дело с жестокостью, патологией и смертью. Поэтому и юмор у меня соответствующий.

— Боже! — воскликнула вдруг Маша. — Посмотрите на его лицо! И на его шею!

Капитан Данилов, эксперт Лаврененков и полицейский фотограф Сарычев уставились на мертвеца. Горло трупа дергалось, обожженные щеки слегка вибрировали.

— Он жив! — воскликнул Толя Волохов и сделал шаг к кровати.

— Ерунда! — рявкнул Лаврененков и оттолкнул гиганта тощей рукой.

Затем быстро вынул из чемоданчика острый скальпель, склонился над трупом и одним быстрым движением перерезал стежки ниток. Губы трупа разошлись, и между ними протиснулся черный кончик языка.

Толя Волохов открыл от изумления рот.

— Что за... — начал было он, но договорить не успел.

Маша вскрикнула, фотограф осел на диван и опустил фотоаппарат, Стас попятился назад, а судмедэксперт Лавренeнков выронил скальпель, когда изо рта трупа выполз большой черный паук. И тут же между губ протиснулся еще один. А за ним третий.

Один из пауков упал на пол к ногам Стаса Данилова. Тот выругался и машинально раздавил насекомое каблуком.

— Стас! — осадила его Маша.

Данилов поднял на нее взгляд, нахмурился. Лавренeнков отошел от изумления первым. Он извлек откуда-то щипцы и принялся ловить пауков. Это оказалось несложно — двигались насекомые медленно, словно пьяные.

Вскоре четыре здоровенных мохнатых паука сидели в пластиковом контейнере, который Лавренeнков достал из своего чемоданчика.

— Твою мать... — простонал Волохов и вытер рукою вспотевший лоб. — Всякое видел, но такое...

Тем временем Лавренeнков, действуя умело и быстро, подхватил щипцами раздавленного паука, уложил его на стеклянный поддончик и аккуратно расправил пинцетом.

— Это какая-то разновидность тарантула, — сказал он. — Скорей всего, мизгирь.

— Кто? — не понял Стас.

— Мизгирь, — повторил Лаврененков. — Южнорусский тарантул.

— Ядовитый? — уточнила Маша.

— Угу. Как все тарантулы. Но укус мизгиря для человека не смертелен.

— Их было целых пять штук, — напомнила Маша. — И, вполне возможно, что есть еще — в пищеводе или в дыхательных путях.

Лаврененков пожал плечами:

— Ну, по крайней мере, теперь мы знаем, отчего наступила асфиксия. Убийца запихал бедолаге в рот мизгирей, а потом, чтобы они не выбрались обратно, зашил ему губы ниткой.

— И для верности прижег Ройзману щеки и шею свечкой, чтобы расшевелить насекомых, — сказала Маша.

— Точно. — Лаврененков поднял прозрачный пластиковый контейнер и встряхнул его. Пауки зашевелились, заскребли лапками по стенкам. — Один укус был бы не смертелен, — продолжил эксперт. — Но десяток укусов вызвал у Ройзмана анафилактический шок и асфиксию. Довольно изобретательное убийство. Обязательно опишу его в своем будущем учебнике!

— Но почему именно пауки? — спросил Стас. — Какая связь между сексом, дешевым гостиничным номером, бутылкой «Кристалла» и насекомыми?

— Связи никакой, — сказал Толя. — Просто все совпало.

— Почему же? — возразил Лаврененков. — Как раз наоборот. Насекомые во многих культах сопровождают мертвецов на тот свет. И обратно — если мертвецы задумали вернуться в наш мир. Пауки, тараканы, жуки, прочая мерзость. Даже ночные мотыльки.

— Мотыльки?

— Ну да. Например, на Украине верят, что души умерших превращаются в ночных мотыльков и слетаются по ночам на пламя свечей. Пауки из той же оперы.

Лаврененков убрал контейнер в чемоданчик. Встретился взглядом с Машей и кивнул:

— Да-да, Маруся, знаю. Экспресс-тест ДНК и все такое прочее. Я уже взял необходимые пробы и соскобы, не волнуйся.

Лаврененков снял перчатки и швырнул их в раскрытый чемоданчик. Потом достал оттуда же свою неизменную стальную фляжку с коньяком. Открыл ее, взглянул на мертвеца и отсалютовал ему фляжкой.

— Ваше здоровье!

Затем сделал хороший глоток.

— Когда они зашевелились, я подумал, он ожил, — пробасил Волохов, который, кажется, все еще не пришел в себя.

— Трупы не оживают, — назидательно произнес Стас. — В твоем возрасте, Толя, пора бы об этом знать.

Волохов хмыкнул.

— Ты сначала в зеркало на себя посмотри, храбрец, — сказал он Стасу. — У тебя до сих пор губы дрожат.

— Это от отвращения, а не от страха, — возразил тот. И добавил, неприязненно искривив губу: — С детства ненавижу пауков.

— Ладно, — сказала Маша. — Пожалуй, хватит на сегодня мистики. Надо доделать протокол осмотра. Семен Иванович, уберите фляжку подальше, мне понадобится ваша помощь.

И вновь ярко полыхнула вспышка. Фотограф продолжил работу. При каждой вспышке казалось, что труп вздрагивает. Выглядело это жутко.

5

Радиоприемник, стоящий на белом подоконнике, вздрогнул от разухабистого мажорного музыкального аккорда, а затем бодрый голос из динамиков весело проговорил:

— Анекдот-парад, «Юмор-FM»! Приходит как-то пациент к стоматологу и говорит: «Доктор, не могли бы вы мне помочь? Мне кажется, что я ночной мотылек». «Так вам, дорогой мой, надо не ко мне. Вам надо к психиатру». — «Да, знаю». — «Так почему же вы пришли ко мне?» — «А у вас свет горел».

Последнее слово потонуло в утрированном хохоте, а затем певучий голос пропел:

— Радио «Юмор-FM!» Мы дарим вам хорошее настроение!

Глеб поморщился, протянул руку и выключил приемник.

Едва он опустил забинтованную голову на подушку, как дверь открылась и в палату вошла Маша Любимова.

— Привет! — сказала она.

— Привет, — вяло отозвался Глеб.

Ему было стыдно из-за того, что позволил уложить себя какому-то «быку». Кроме того, Глеб сильно на себя злился, и Маша, хорошо знавшая Корсака, прекрасно это понимала.

— Как ты? — спросила она, глянув на перевязанную бинтом голову.

— Как орел с подрезанными крыльями, — с хмурой усмешкой ответил Глеб. — Присаживайся.

Маша села на стул, весело посмотрела на него.

— Завидую я тебе, Корсак. Живешь на широкую ногу, не экономишь ни на эмоциях, ни на страстях. Голову вон тебе до сих пор разбивают. Красота!

— Да уж, — усмехнулся он. — Живу как в последний раз. Но тебе не советую. В нашем возрасте так живут только дураки и неудачники.

— И к какой категории ты относишь себя?

— К обеим сразу.

Маша улыбнулась.

— Спорный вопрос. Глеб, я забежала на пару минут.

— Само собой. Как у тебя дела на работе? Надеюсь, я не зря получил по кумполу?

— Бадри Гурамов забрал заявление об избиении и вымогательстве. Дело замяли. Против тебя тоже не выдвигает никаких обвинений.

— Значит, все хорошо?

— Для нас — да. Для тебя — не думаю. Кто-то снял вашу драку на мобильник и выложил в Интернет. Там уже больше пятидесяти тысяч просмотров. Гурамов-младший заперся дома и не выходит. Ты его опозорил, Глеб. Схватил за шиворот, как котенка, и дал пинка. Это видели пятьдесят тысяч человек. Но самое главное, это видели друзья, родственники и знакомые Гурамова. И это видел его папенька.

— Отлично! Значит, он стал звездой.

Маша невесело усмехнулась и покачала головой.

— Глеб, ты же понимаешь, что этот гаденыш тебе отомстит. А не он, так его папаша.

— Пусть попробует.

— Он уже попробовал. — Маша посмотрела на забинтованную голову бывшего возлюбленного и вздохнула. — Тебя могли забить насмерть. И честно говоря, я не могу понять — почему не забили.

Она достала из пакета, который держала в руках, красивую пластиковую коробочку.

— Это тебе от наших оперов. Первоклассная электронная сигарета, а к ней — набор картриджей, зарядов и всяческих ароматизаторов, включая «кубинские сигары». К подарку прилагается записка от Толи Волохова.

Корсак развернул протянутый листок бумаги.

«Глеб, ты мужик! Я бы ему сам накостылял, но должность не позволяет. Понадобится моя помощь — только свистни!»

— А это — от Стаса, — сказала Маша и протянула Глебу бутылку двенадцатилетнего виски «Маккален».

— От Стаса? — удивленно поднял брови Корсак. — Я думал, он меня ненавидит.

— Он ненавидит только женщин. Особенно тех, с кем спит.

Глеб хмыкнул.

— Значит, я зря опасаюсь. Передавай ребятам привет и благодари за подарки.

Он убрал сигареты и виски в тумбочку и спросил у Маши.

— Что удалось узнать про Борзина и Ройзмана?

— Виталий Борзин находится в Португалии. Он дипломат. Артур Ройзман — президент инвестиционного фонда. Вернее, был им, пока его не убили.

— Убили? — Глаза Корсака блеснули. — Вот с этого момента давай подробнее.

Маша рассказал ему о трупе Ройзмана, найденном в номере дешевой гостиницы. Глеб внимательно выслушал, а когда она закончила, задумчиво произнес:

— Значит, пауки? Интересный способ убийства.

— Наш судмедэксперт сказал то же самое. Даже собирается вставить этот случай в учебник, который пишет.

— Убийца не оставил следов или отпечатков?

Маша покачала головой:

— Нет. По словам секретарши Ройзмана, незадолго до гибели ему позвонила какая-то женщина. Представилась старой знакомой. После этого он быстро собрался и уехал из офиса. Секретарша утверждает, что у женщины был странный тембр голоса.

— Странный?

— «Неживой», как она выразилась.

— Изменен модулятором?

— Возможно.

Нахмурившись, Маша потерла пальцами лоб.

— Ума не приложу, с чего начать.

— Нужно искать пятого, — сказал Глеб.

Маша пристально на него посмотрела.

— Пятого?

— Да, Маш. На фотографии четверо парней, но кто-то ведь их фотографировал. Кто-то держал фотоаппарат, и нужно этого «кого-то» найти.

— Не думаю, что это будет просто.

— Ты права. Но я могу немного упростить тебе задачу.

Маша хмыкнула.

— У тебя в прикупе всегда есть козырный туз, Корсак. Что на этот раз?

Глеб взял с тумбочки смартфон, нашел фотографию парней, увеличил ее и протянул трубку Маше.

— Отражение в зеркале. В левом углу.

Она вгляделась в то место, на которое указал Глеб. Там и впрямь висело зеркало в обшарпанной деревянной раме, а в нем отражался зыбкий силуэт.

— Надо же... Я сразу и не заметила.

— Понимаю. Этот фрагмент фотографии слегка засвечен. Но мой знакомый увеличил его, пропустил через фильтры и добавил четкости. Сейчас покажу, что получилось.

Глеб протянул руку к сумке, которая стояла возле кровати, вынул оттуда фото и протянул Маше.

— Взгляни.

Она взяла распечатанный на принте фрагмент снимка и пристально в него вгляделась. Затем удивленно протянула:

— Это что — женщина?

— Судя по фигуре — да.

— Выглядит странно. И... жутковато.

— Мой приятель считает, что это искажение оптики.

Маша еще несколько секунд разглядывала фрагмент, потом подняла взгляд на Глеба.

— Ты говорил, что в детстве дружил с Андреем Темченко.

— Да. До десятого класса. Потом наши пути разошлись.

— Почему?

— Не знаю, стоит ли об этом говорить. — Глеб провел ладонью по красным воспаленным глазам. — Тогда произошла одна странная история. Вернее — одно неприятное... совпадение.

Он замолчал, словно о чем-то задумавшись, и Маша вынуждена была его поторопить.

— Ты расскажешь мне?

— Да. В конце девятого класса мы сидели на уроке химии и, по своему обыкновению, болтали. У нас было много тем для разговора, поскольку увлекались мы одними и теми же вещами. Оба любили историю, оба верили во всякую чертовщину, он чуть больше, я чуть меньше. В тот раз мы говорили о ведьмах и колдунах. Вернее — о черной магии. Андрей утверждал, что если несколько человек одновременно о чем-то подумают, сильно чего-то пожелают, то загаданное вполне может сбыться.

Глеб перевел дух, после чего заговорил снова.

— Андрей предложил воздействовать «силой мысли» на химичку. Мне эта идея показалась дурацкой, но я ради шутки согласился. Мы уставились на учительницу и пожелали, чтобы урок поскорее закончился.

— И как? Он закончился?

— Да. Только это оказалось совсем не смешно. Учительница умерла от инсульта.

— Прямо во время урока?

— Да. — Глеб посмотрел на побледневшее лицо Маши и продолжил: — Я, конечно, не верил во всю эту чертовщину, но никак не мог избавиться от чувства вины. И не мог видеть физиономию Темченко, поскольку он-то как раз никакой вины не испытывал. Он ликовал, поскольку доказал мне, что был прав.

— Жестокий юноша.

— Да уж. После того случая я перестал с ним общаться. Совсем.

Оба помолчали немного, обдумывая все, что рассказали друг другу.

— Чем, по-твоему, они занимались в том охотничьем домике? — спросила Маша.

Глеб пожал плечами:

— Не знаю.

Маша нерешительно начала.

— Ты ведь не думаешь, что...

Она осеклась.

— Понимаю, о чем ты, — сказал Глеб. — Я не хочу думать, но дурацкие мысли сами лезут в мою голову.

— То есть ты допускаешь, что парни выпили вина, развеселились, им захотелось приключений, и тогда Темченко предложил друзьям поиграть в колдунов?

Глеб улыбнулся:

— Звучит довольно странно.

— Да. И все же. — Маша вновь потерла лоб. — С ними была женщина, — сказала она. — Что, если в этой «игре» она стала жертвой? Как раньше — учительница химии.

Глеб усмехнулся, на этот раз скептически.

— Маш, о чем мы вообще говорим? Ладно я, но ты-то? Сыщик не должен заморачиваться на мистике и тому подобной ерунде.

— Я и не собиралась, — спокойно сказала Маша. — Но мало ли какой бред мог прийти в голову четырем подвыпившим парням. Особенно если учесть, что в их компании была женщина.

Ответить на эту реплику Глеб не успел — в сумочке у Маши зазвонил телефон. Она достала трубку и прижала к уху.

— Слушаю!

— Марусь, это я, — услышала она голос Лавре-ненкова.

— Да, Семен Иванович, слушаю вас.

— У вас есть минутка?

— Да, вполне.

— Те пауки... это действительно тарантулы. Семейство Lycosidae, пауки-волки. Распространены в Средней Азии, на юге России и на Украине. С причиной смерти мы тоже не ошиблись. На слизистой Ройзмана — множественные следы укусов. Укусы вызвали отек дыхательных путей, и Ройзман задохнулся. Но это еще не все. Тут у меня Данилов. Передаю ему трубку.

Стас взял трубку.

— Привет, Маш!

— Здравствуй, Стасис! У тебя есть новости?

— Есть! Пришли результаты анализа ДНК пряди волос, которую мы нашли в кошельке. Я прогнал данные по базе и нашел совпадение.

Стас выдержал паузу, чтобы сделать сообщение эффектнее, а затем сказал:

— ДНК волос совпал с ДНК некой Светланы Ивановны Паскевич. Сорок три года, гражданка Украины, осуждена на восемь лет колонии строгого режима. Отсидела шесть, была отпущена по «условно-досрочному» за примерное поведение, вышла на свободу семь лет назад. Сейчас пошлю тебе ее портрет по эм-эм-эс. Лови!

Телефон в руке Маши мелодично пиликнул. Она раскрыла новое сообщение, и на дисплее телефона появилась фотография молодой шатенки с симпатичным, но совершенно заурядным лицом.

На щеках у Маши проступил легкий румянец волнения. Она снова поднесла трубку к уху.

— Что эта Паскевич натворила? — спросила Маша.

— Убила любовника, — ответил Стас. — Отравила клофелином. Вину признала, в содеянном раскаялась, в милицию пришла сама.

Маша не сдержала вздоха разочарования.

— Так просто, — проговорила она.

— А ты ожидала увидеть маньячку-рецидивистку, поедающую детей?

Маша не ответила. Стас был прав, портрет, который она нарисовала в своем воображении, выглядел куда более зловеще, чем усталое женское лицо на экране.

— Ты сказал, что ей сорок три?

— Да.

— Восемнадцать лет назад ей было двадцать пять. Она вполне могла быть подружкой одного из четырех парней. Стас, срочно займись ее поисками, а я...

— Маш, уже! — перебил ее Данилов.

— Что уже?

— Уже нашли.

— И где она?

— В монастыре.

Маша сдвинула брови.

— Это шутка?

— Нет, — ответил Стас. — Она действительно в монастыре. Уже несколько лет. Там какая-то странная история... Слушай, Маш, тебе лучше подъехать сюда и самой все прочитать.

— Хорошо. Сейчас буду.

Маша отключила телефон и убрала его в сумочку.

— Ну? — выжидательно глядя на нее, спросил Глеб. — Какие новости?

— Помнишь прядь волос в кошельке, найденном на месте пепелища?

— Да.

— ДНК этих волос совпало с ДНК гражданки Украины по имени Светлана Паскевич. Она убила своего парня, отсидела за это шесть лет, а сейчас живет в монастыре. Это пока все.

— Гражданка Украины... Южнорусский тарантул... — Глеб поскреб ногтями горбинку на носу и задумчиво проговорил: — Странная вырисовывается картина. Тут не захочешь, а поверишь в ведьм.

— Ведьм не существует.

— Люди, жившие в Средневековье, с тобой бы не согласились.

— Средневековье давно закончилось, а с ним и вера в ведьм и колдунов.

— Ошибаешься, — сказал Глеб. — Ты, например, знаешь, что во время Первой мировой войны многие солдаты носили под гимнастерками рубашки-обереги с вышитыми на них лицами демонов?

— Нет, я про это не знала. — Маша не удержалась от мрачноватой улыбки. — И какая же ведьма засунула пауков в рот Ройзману?

— Ну, например, суккуб. Это демон в обличье прекрасной обнаженной женщины, приходит к мужчинам в эротических снах и развращает их. Есть еще Мара — она садится спящим мужчинам на грудь и душит их. Есть прекрасная и ненасытная Ламия. Совокупляясь с мужчиной, она одновременно пьет его кровь. — Глеб покосился на Машу и насмешливо прищурился. — Немного напоминает наши с тобой отношения, правда?

— Не говори ерунды. Все это доказывает, что мужчины испокон веков считали женщин опасными существами, раз напридумывали столько соблазнительных чудовищ.

Глеб вздохнул:

— И не говори. В Китае, например, есть женщины-оборотни, принимающие облик лисичек. Их называют хули-цзын...

Маша нахмурилась.

— Глеб, самое время остановиться, — с напускной строгостью сказала она.

— Прости, увлекся. Тема очень интересная.

— Еще бы, — фыркнула Маша. — Женщины всегда стояли у тебя на втором месте — после карт. Вот интересно, на каком месте у тебя была я?

— На шестом, — сказал Глеб. — Между газетой «Спорт-экспресс» и жареными свиными ребрышками.

— Я польщена.

Они посмотрели друг на друга и засмеялись.

— Как будто и не расставались, — сказала Маша.

— Да уж, — с улыбкой поддакнул Глеб. И осторожно добавил: — Может, и не стоило?

Улыбка испарилась с Машиных губ.

— Глеб, не начинай.

— Просто мысли вслух.

— Мы с тобой давно установили, что эти мысли глупые и никчемные. Не стоит снова выпускать их на волю.

— Да, ты права.

Маша помолчала. Посмотрела на замотанную бинтом голову Глеба и сочувственно спросила:

— Как ты себя чувствуешь?

— Как младенец, — ответил он. — Нежный череп, пульсирующий родничок.

— Мне нравится твоя самоирония. Пока она на месте — с тобой все в порядке. — Она подняла руку и глянула на циферблат наручных часов. — Мне пора уходить, Корсак. И, пожалуйста, проявляй поменьше активности. Ты все же болен.

— Я всегда болен, — сказал Глеб. — Жизнь — это болезнь с летальным исходом.

— Знаю. И все-таки побереги себя. Не ради меня, а ради Лешки. Кстати, вчера он произнес слово «папа».

— Да ну?

— Правда.

— Я его этому не учил.

— Знаю, что не учил. Он называет так телевизор. Приходи почаще, и однажды он поймет, что ты намного лучше телевизора.

Глеб улыбнулся и сказал:

— Я в этом не уверен.

— В том, что поймет?

— В том, что я лучше телевизора.

Маша засмеялась.

— Выздоравливай, Глеб!

Она поднялась со стула, быстро наклонилась и поцеловала его в щеку.

— Позвонишь мне потом? — спросил Глеб.

Она кивнула:

— Да. Буду держать тебя в курсе.

— Спасибо.

Маша вышла из палаты. Корсак закрыл глаза и задремал. Через двадцать минут он открыл глаза и стал подниматься с постели.

— Куда-то собрался? — услышал он насмешливый голос своего двойника.

— Не твое дело, — буркнул он, не оборачиваясь.

— Как знать. Я могу стать хорошим помощником!

— Убирайся к черту.

Двойник улыбнулся.

— Хамишь, — беззлобно констатировал он. — Но все равно приятно.

Глеб покачнулся и вынужден был схватиться за спинку кровати, чтобы не упасть.

— Чего тебе приятно? — неприязненно уточнил он.

— Что ты вступил со мной в диалог. Ты меня больше не игнорируешь. Может быть, это начало большой и крепкой дружбы?

— Заткнись.

Двойник рассмеялся.

— Ты забыл таблетки в машине, — сказал он. — Доберешься до нее не скоро, учитывая твое состояние. Значит, у нас впереди уйма времени.

Глеб подошел к шкафу, открыл его, медленно снял пижаму и взял с вешалки рубашку. Двойник некоторое время наблюдал, как Корсак переодевается, а затем спросил:

— Скажи, пожалуйста, какого дьявола ты связался с волчонком Гурамовым? Ведь ты же знал, что это опасно и неприятных последствий тебе не избежать.

Глеб не ответил. Он вернулся к кровати, сел на край и стал натягивать брюки. Двойник заговорил снова:

— Знаешь, что я обо всем этом думаю?

Глеб опять его проигнорировал.

— Я думаю, что у тебя появились суицидальные наклонности, — заявил двойник. — Ты сознательно ищешь приключений на свою голову. Суешь ее в пасть чудовищам и ждешь — откусят или нет.

— Хватит! — сухо оборвал его Глеб.

Двойник улыбнулся.

— Ты сердишься. Значит, я прав.

Корсак зашнуровал туфли, затем встал и потянулся за пиджаком.

— Кстати, — заговорил двойник, — ты все еще думаешь, что в этой истории ты всего лишь сторонний наблюдатель?

— В какой истории? — не понял Глеб и, обернувшись, хмуро посмотрел на двойника.

— Не придуривайся, что не понимаешь. Я имею в виду историю, которая произошла восемнадцать лет назад в лесу. На твоем месте я бы постарался вспомнить, что ты делал двадцать второго сентября тысяча девятьсот девяносто пятого года.

— Зачем мне это вспоминать?

— Тебе ведь показалось, что ты был там раньше.

— И что с того? Обычное дежавю.

— Думаешь? — Двойник загадочно улыбнулся. — Ты слишком легко отыскал охотничий домик. Хотя лесным жителем тебя никак не назовешь.

Глеб сел на кровать и провел ладонями по лицу. Двойник устроился рядом. Достал сигарету и закурил.

— Кто я, по-твоему? — спросил он.

— Моя галлюцинация, — ответил Глеб.

— А еще?

— Я сам. Вернее — мое подсознание.

Двойник покачал головой:

— Не совсем так. Точнее будет сказать, что я — посредник между тобой и твоим подсознанием. А значит, в твоем подсознании кроется нечто такое, о чем ты забыл, но хотел бы вспомнить.

Глеб посмотрел на двойника долгим угрюмым взглядом.

— И что же это такое? — спросил он. — О чем я забыл? Что хочу вспомнить?

— Так я тебе и сказал!

— Тогда зачем ты мне нужен?

Двойник вздохнул, как вздыхают взрослые, разговаривая с непонятливым ребенком.

— Ты меня неправильно понял, Глеб. Я готов ответить на твои вопросы. Но ты должен правильно их задавать.

Глеб нервно дернул щекой и сказал:

— Я больше не собираюсь с тобой разговаривать.

— А если я не отстану?

— Тогда я пущу себе пулю в лоб.

— Из травматического пистолета? — насмешливо уточнил двойник.

Глеб не удостоил его ответом. Он поднялся с кровати, прошел к вешалке, снял плащ и натянул его на себя. Двойник посмотрел на него, усмехнулся и проговорил:

— Бедный, бедный Глеб. Ты даже не догадываешься, какой страшный сюрприз ждет тебя впереди.

Глава 6

●

ИКОНА

1

Андрей Темченко открыл глаза и сначала увидел работающий без звука телевизор. Там шла какая-то реклама. Потом взгляд его упал на загипсованную ногу, подвешенную на раме-растяжке, а после он увидел Лизу. Она сидела на стуле рядом с кроватью. Увидев, что он проснулся, девушка улыбнулась, промокнула ватным тампоном его вспотевший лоб и с сочувствием спросила:

— Вам опять снились кошмары?

— Да, — ответил он.

Она вздохнула и сказала трогательным, беззащитным голосом:

— Я хотела бы вам помочь, но не знаю как. Может, стоит поискать ваших родственников?

Он изогнул потрескавшиеся губы в усмешке.

— У меня их нет, ты же знаешь.

— Возможно, есть дальние?

— На кой черт они мне нужны?

— Не знаю... Я... — Голос девушки дрогнул. — Я просто не хочу, чтобы вы чувствовали себя одиноким.

Он хотел что-то сказать, но вдруг вспомнил страшное лицо, приникшее к оконному стеклу, и побледнел.

— Что случилось? — тревожно спросила Лиза.

— Ни... чего, — вымолвил он.

Она снова промокнула ему лоб тампоном.

— Позвать доктора?

— Не надо.

— Вы уверены?

— Да... Со мной уже все в порядке. Лиза, подойди, пожалуйста, к окну и выгляни на улицу.

Она встала со стула, подошла к окну и выглянула наружу.

— Ты там кого-нибудь видишь? — спросил Андрей.

— Нет, — ответила она. — Просто улица. А что?

Он шумно перевел дух. Потом попросил:

— Подойди, пожалуйста, ко мне.

Она подошла к кровати и снова села на стул. Он взял ее руку в свою и закрыл глаза. Несколько секунд Темченко молчал, потом тихо позвал:

— Лиза.

— Что? — так же тихо отозвалась она.

— Тебе нужны мои деньги?

— Что? — рассеянно переспросила она.

— Я богат. И, вероятно, скоро умру. Мне некому завещать свой капитал. Ты заботишься обо мне, чтобы...

Зрачки Лизы расширились, когда она поняла, о чем он говорит. Она резко отдернула руку.

— Вы правда обо мне так думаете? — спросила Лиза дрогнувшим голосом.

Андрей открыл глаза и посмотрел на ее расстроенное обиженное лицо.

— Я уже не знаю, что мне думать, — виновато произнес он. — Я запутался, Лиза. Я не понимаю, где реальность, а где сон.

В лице ее что-то изменилось, полные губы дрогнули, и она тихо произнесла:

— Бедненький...

— Скажи это еще раз, — попросил он.

— Что?

— Назови меня как-нибудь... нежно.

Лиза улыбнулась.

— Бедный мой, бедный, — негромко проговорила она и свободной рукой погладила Андрея по волосам.

Он поймал ее руку и поднес к губам. Лиза не возражала.

— Лиза, если я выйду из больницы, если оклемаюсь... пусть даже останусь инвалидом, но буду жив...

— Вы будете жить!

— Не перебивай. Если я буду жив... могу я рассчитывать, что ты продолжишь наши... отношения?

Лиза снова улыбнулась — на этот раз мягко, почти по-матерински.

— Андрей Павлович, но у нас с вами нет никаких отношений, — сказала она.

Он качнул головой:

— Я так не считаю. И я... я буду чертовски рад, если ты меня не бросишь.

— Вы хотите, чтобы я продолжала за вами ухаживать?

Темченко не ответил. Он посмотрел на ее грудь, обтянутую белой тканью медицинского халатика. Сглотнул слюну.

— Послушай, Лиза, ты могла бы...

— Что?

Он напряженно улыбнулся, явно пытаясь подобрать нужные слова.

— Возможно, я уже не выкарабкаюсь. И я... В общем, скорей всего, у меня никогда не будет женщин.

На лице Лизы появилось удивление. А потом — понимание.

— Вы хотите...

— Обещаю, что не прикоснусь к тебе, — перебил он. — Я хочу... просто посмотреть. Но если ты откажешься, я пойму.

Лиза покраснела.

— Не уверена, что это хорошо, — смущенно сказала она.

— Я тоже не уверен, — признался он. — Я бы даже сказал, что это гадко. Но я хочу. Очень хочу.

Несколько секунд Лиза молчала. А потом высвободила руки и стала расстегивать пуговицы, стараясь не смотреть Андрею в глаза. Наконец, она распахнула халатик. Темченко уставился на ее грудь жадными глазами. Лиза смотрела на него со скрытой жалостью.

— Хочешь, я лягу рядом с тобой? — внезапно предложила она.

Он посмотрел ей в лицо.

— Ты точно этого хочешь? — дрогнувшим голосом пробормотал он.

— Да. Мне это несложно.

Андрей сдвинулся на кровати, и Лиза прилегла рядом. Погладила его по волосам узкой ладонью и прошептала:

— Все хорошо.

Лицо ее излучало тепло и покой. На глаза Андрея навернулись слезы.

— Я выберусь отсюда, — сказал он. — Обязательно выберусь, слышишь? И тогда все будет иначе.

— Конечно. — Чуть заметная улыбка тронула ее губы. — Ты выздоровеешь. Все будет хорошо.

Она прижала его голову к себе, и он нежно поцеловал ее белую кожу чуть выше соска. И вдруг слегка отстранился и уставился на что-то.

— Что случилось? — с тревогой спросила она.

Андрей по-прежнему смотрел на ее грудь, только теперь он был бледен и напуган. Он видел, как сквозь тонкую кожу девушки явственно проступает багровое пятно. Чуть левее грудины, там, куда когда-то с хрустом вошел...

— Кол, — хрипло прошептал Андрей.

— Что? — не поняла Лиза. — Что с тобой?

Андрей отвел взгляд и с трудом проговорил:

— Кажется, у меня... галлюцинация.

— Что тебе привиделось?

Он через силу улыбнулся.

— Ничего. Не стоит это обсуждать. Тебе лучше встать.

Лиза быстро поднялась с кровати. Андрей покосился на ее грудь. Никакого пятна там не было. Он подождал, пока она застегнет халат и, сделав над собой усилие, спросил:

— Лиза, ты можешь кое-что для меня проверить?

— Да, — неуверенно сказала она. — А что нужно проверить?

— Позапрошлой ночью к моему окну подходила какая-то женщина.

— Женщина? — На лице девушки читалось недоверие. — К вашему окну? Ночью?

Она снова перешла на «вы», и Андрея это немного расстроило.

— Не удивляйся. — Он грустно улыбнулся. — Скорее всего, это была галлюцинация. Но я должен быть уверен, понимаешь? Я должен знать наверняка, чтобы не сойти с ума.

— Я... не совсем понимаю, — растерянно сказала Лиза. — Что я должна сделать?

Несколько секунд он размышлял, и каждая тягостная мысль проступала у него на лбу извивами морщинок, а потом заговорил:

— Лиза, ты можешь принести видеокамеру и направить ее на окно? Я знаю, сейчас есть камеры, которые могут снимать всю ночь. Их можно подключать прямо к компьютеру, верно?

— Да.

— Ты сможешь купить все сама?

— Наверное, но...

— Я позвоню своему распорядителю, и он даст тебе столько денег, сколько понадобится. Но он не должен знать подробностей. До какого часа ты сегодня работаешь?

— Моя смена заканчивается через пару часов, — ответила Лиза. — Но я собиралась задержаться.

— Из-за меня?

— Да.

Он открыл глаза и покачал головой:

— Не надо задерживаться. Сделай это сегодня, хорошо? Просто купи видеокамеру, поставь ее здесь на подоконник и включи. Договорились?

— Да, — сказала она.

— А теперь подай мне, пожалуйста, телефон. Я распоряжусь насчет денег.

2

Маша и Стас вышли из машины и огляделись. Спасо-Белозерский монастырь, на территорию которого они въехали, был со всех сторон окружен красной кирпичной стеной.

— Прямо как Кремль, — заметил Стас, массируя рукой затекшую шею.

— Да, похоже, — отозвалась Маша.

Она посмотрела на белую изящную церковь, стоявшую прямо перед ними. Перевела взгляд на большую теплицу, находившуюся слева, потом на бревенчатую часовню и двухэтажный, длинный каменный дом. Между теплицей и домом темнел курятник, над ним — желтый домик голубятни.

— Мария Александровна? — окликнул Машу низкий голос.

Маша обернулась и увидела перед собой грузную пожилую высокую женщину в черном одеянии и с золотым крестом на груди.

— Матушка Доминика?

Женщина кивнула:

— Да. Здравствуйте!

— Здравствуйте!

— День добрый! — с улыбкой проговорил Стас и джентльменски поклонился.

Матушка Доминика слегка прищурила серые глаза:

— А вы...

— Станислав, — представился Данилов. — Капитан полиции и коллега Марии Александровны.

— Хорошо. — Она снова перевела взгляд на Машу. — Как добрались?

— Нормально, — ответила та. — Только долго. И дорога не ахти.

— Да, это многих утомляет, — согласилась настоятельница.

Маша взглянула на двух женщин, вышедших из теплицы. Одеты они были вполне по-светски. Матушка Доминика проследила за ее взглядом и пояснила:

— Это трудницы. Сезонные работницы. Ухаживают за цветами и овощами.

— Ясно. — Маша потянулась было за сигаретами, но решила, что в монастыре, вероятно, курить нельзя, и убрала руку от кармана плаща.

— Сестра Ангелина примет вас, — сказала матушка. — Она не хотела, но я ее убедила. Мы не конфликтуем с властью и всегда помогаем полиции. Однако долго с вами говорить она не сможет.

— Почему?

На лице матушки отобразилось удивление.

— Потому что она нездорова. У сестры Ангелины инвалидность.

— Вот как? — Маша прищурила глаза. — Могу я узнать, что с ней случилось?

— Ее избили, — ответила настоятельница. — И покалечили.

— Кто?

На этот раз прищурилась матушка Доминика.

— Вы точно из полиции? — подозрительно спросила она.

Маша достала из сумочки удостоверение, раскрыла его и показала матушке.

Та кивнула. Потом со вздохом проговорила:

— Несколько лет назад сестра Ангелина, тогда у нее еще было мирское имя, вышла из тюрьмы, где отбывала срок за убийство.

— Да, я об этом знаю, — сказала Маша. — Выпустили ее досрочно.

— Именно. И кое-кому это не понравилось.

— Кому не понравилось?

Лицо матушки помрачнело.

— Родственникам убитого ею мужчины, — сухо произнесла она. — Сестра Ангелина отравила его. Но не со зла, а от отчаяния и страха.

— От страха?

— Да. — На мгновение взгляд матушки снова стал подозрительным. — А вы разве не знаете?

Маша покачала головой:

— Нет.

— Он мучил ее. Избивал. Сестра Ангелина несколько раз пыталась уйти, но он находил ее и возвращал обратно. Он сводил ее с ума своей ревностью, не давал ей жить. И тогда она отравила его.

Маша внимательно посмотрела на монахиню.

— Вы как будто оправдываете ее?

Та усмехнулась.

— Нет, конечно. Убийство невозможно оправдать. Но я не сужу. Судит только Господь.

— Да, я в курсе, — кивнула Маша. — Что с ней случилось, когда она вышла на свободу?

Матушка Доминика снова вздохнула.

— Родственники убитого отомстили ей. Они наняли двух бандитов. Те подкараулили сестру Ангелину возле подъезда, схватили ее и утащили в ближайший сквер. Там они надругались над ней по очереди, а потом избили до полусмерти. Прохожие нашли ее только утром, истекшую кровью.

— Она не заявила в милицию?

Матушка покачала головой:

— Нет.

— Почему?

— Возмездие должно было свершиться, и оно свершилось. Сестра Ангелина приняла его безропотно, как надлежит верующему человеку.

— Но эти отморозки совершили преступление и должны за него ответить.

— Наказывает только Господь, — опять назидательно проговорила матушка Доминика. — А отвечая местью на месть, лишь усугубляешь грех. После выхода из больницы сестра Ангелина пришла к нам в монастырь и стала послушницей.

— И как она здесь? — спросил Стас.

Матушка перевела на него взгляд и недоуменно уточнила:

— В каком смысле?

— Ну... — Стас пожал плечами. — Хорошая из нее получилась монахиня?

Настоятельница улыбнулась.

— Да, очень хорошая. Хотя и со сложным характером. О, а вот и сестра Таисия! — негромко воскликнула матушка Доминика, и лицо ее просветлело.

К ним подошла юная монашенка, на вид совсем девочка. У нее было красивое, утонченное лицо, тронутое загаром, и огромные голубые глаза.

— Сестра Таисия, — обратилась к ней матушка, — это полицейские из Москвы. Они хотят встретиться с сестрой Ангелиной.

— Здравствуйте! — негромко проговорила девушка, улыбнувшись Маше и едва скользнув взглядом по лицу Стаса, который тут же принялся отпускать ей лучезарные улыбки.

— Сестра Таисия проводит вас к сестре Ангелине, — сказала настоятельница.

Пару минут спустя, распрощавшись с матушкой, которая удалилась хлопотать по хозяйству, Стас и Маша зашагали следом за сестрой Таисией, от точеного профиля которой Данилов не мог отвести глаз.

— Сестра Таисия, — заговорил он игривым голосом, — можно вас кое о чем спросить?

— Спрашивайте, — спокойно отозвалась она.

— Что привело вас в монастырь?

— Это личное.

— Наверное, дело в несчастной любви? Я угадал?

Она повернула голову и с легким удивлением посмотрела на Данилова.

— Почему вы так решили?

— Потому что не представляю, как такая красавица, как вы, могла оказаться в монастыре. На ум приходит только несчастная любовь.

— Я пришла сюда по вере и убеждению, — сказала сестра Таисия.

— Ну, это понятно, — кивнул Стас. — Но что послужило толчком?

— Авария, — ответила девушка. — И клиническая смерть.

Стас слегка стушевался. Впрочем, ненадолго. Вскоре он снова приступил к расспросам, и расспросы эти приобрели еще более вольный характер.

— Сестра Таисия, я хотел спросить про ваш монастырский устав. Он очень строгий? Во сколько вы, например, ложитесь спать?

Девушка сдвинула брови.

— Простите, но матушка не благословляет нас на такие разговоры.

Стас хотел еще что-то спросить, но Маша незаметно показала ему кулак, и он замолчал.

Они прошли мимо бревенчатого колодца и старых лип.

— Вы часто общаетесь с сестрой Ангелиной? — спросила Маша.

— Не часто. Она очень молчаливая. Почти все свое время она проводит в работе и в молитвах.

— В работе?

— Да. Сестра Ангелина — наш лучший иконописец. Но вы об этом и без меня знаете.

Маша и Стас переглянулись. Данилов незаметно пожал плечами.

— И что, ее работы действительно хороши?

— Очень. Она пишет святые лики в традиции канонической византийской иконописи. Другие сестры-иконописцы тоже пытаются, но до сестры Ангелины им пока далеко.

Они прошли по мостику через ручей и оказались в другой части обители, возле небольшого кирпичного здания.

— Это иконописная мастерская, — объяснила их провожатая. — Но сестра Ангелина сейчас не там, а у себя в келье. Она с утра себя неважно чувствует.

— Она болеет? — спросил Стас.

Сестра Таисия покосилась на него и ответила:

— Да. Вы же сами знаете.

Данилов не знал, но не нашел нужным уточнять.

— Начинала сестра Ангелина практически с нуля, — продолжала сестра Таисия. — Сперва копировала репродукции старинных икон. Читала специальные книги, обращалась за советами к разным иконописцам. Но теперь она лучшая. Благодаря ей в нашу мастерскую поступает много заказов от других монастырей и приходов.

Стас покосился на асфальтовую дорожку, петляющую между берез.

— А куда ведет эта тропинка? — спросил он.

— К реке. Там есть небольшой рыбацкий мостик. Мы с сестрами иногда любим половить рыбу.

— Вы любите рыбалку?

— Конечно. У нас тут есть караси, плотва, подлещики! А иногда даже клюет голавль!

Глаза сестры Таисии возбужденно блеснули, но она тут же устыдилась своего азарта и притушила блеск.

Стас, уловив в ней человеческую слабость, снова почувствовал себя в своей тарелке.

— А послушайте, сестра, — заговорил он глубоким, бархатистым голосом, на который клевали женщины, — вы не жалеете, что стали монашкой? В жизни ведь столько возможностей. Особенно для такой сексуальной, красивой и умной девушки, как вы. Вам не страшно навсегда остаться Христовой невестой?

Сестра Таисия резко остановилась. Посмотрела на Стаса яростным взглядом и выпалила:

— Прошу вас больше не вести со мной таких разговоров! Я инокиня, и мне не подобает об этом!

— Стас, угомонись, — строго осадила коллегу Маша.

Он примирительно поднял руки.

— Хорошо. Больше не буду, клянусь. Раз уж сестре Таисии так трудно бороться с искушениями.

Он улыбнулся и опустил руки.

Юная монахиня отвернулась и снова двинулась вперед. Через несколько шагов она сказала:

— Простите меня за горячность, Станислав. Но, чтобы вы знали... я никогда не жалела об избранном пути. Кстати, мы уже пришли. Я введу вас к ней, а сама уйду. Так она велела.

3

— Стас, если позволишь, говорить буду я, — шепнула Маша на ухо Данилову.

— Да нет проблем, — пожал плечами Стас. — Я с удовольствием послушаю.

Переступив порог комнаты, Маша поприветствовала женщину, сидевшую к ним спиной в инвалидном кресле и одетую во все черное.

— Здравствуйте, сестра Ангелина! Я — Мария Александровна Любимова, а это...

— Да, — сипло произнесла монахиня. — Я знаю, кто вы.

ВЕДЬМА ПРИДЕТ ЗА ТОБОЙ

В комнате пахло красками и растворителями. На мольберте стояла незаконченная икона, изображающая какого-то старика с нимбом над головой. Лик святого, пристально вглядывающегося с деревянной доски в нашу реальность, показался Маше слишком темным и гневным для человека, на которого снизошла Божья благодать.

Тем временем сестра Ангелина медленно развернулась и посмотрела на вошедших.

Маша с трудом сдержалась, чтобы не отвести взгляд. Выглядела сестра Ангелина ужасно. Левая часть ее лица оказалась практически вмята внутрь. Лицевые кости были когда-то сломаны и срослись не так, как следовало. На левом глазу белело жуткое бельмо, но зато правый глаз, черный, как уголь, смотрел пристально и жестко — словно просвечивал собеседника насквозь.

— Зачем вы пришли? — сухо спросила сестра Ангелина, глотая букву «р».

— Мы хотим с вами поговорить.

— О чем?

— Об одной... давней истории.

— Давней?

— Да. Той, что произошла восемнадцать лет назад.

На уродливом лице монахини не дрогнул ни один мускул. Внезапно Маше показалось, что в комнате слишком темно, несмотря на то, что дневной свет беспрепятственно лился в незашторенное окно.

Сестра Ангелина молчала. Молчали и Стас с Машей. Несколько секунд в келье, пропахшей красками и растворителями, стояла тишина. Лишь белый ночной мотылек бился крыльями об оконное стекло и толстую деревянную раму.

Поняв, что сестра Ангелина не собирается прерывать молчание, Маша заговорила снова.

— Этот разговор чрезвычайно важен для расследования, которое мы ведем, — сказала она. — Поэтому я буду вам очень благодарна, если вы ответите на все наши вопросы прямо и без утайки.

Сестра Ангелина разомкнула тонкие губы и пробормотала:

— Восемнадцать лет назад я была другой женщиной.

— Да, мы знаем.

— И я давно ответила перед людьми за ее грехи. Теперь я отвечаю только перед Богом.

— Я понимаю, — кивнула Маша. — Но от ваших ответов зависит жизнь человека.

— Жизнь человека?

— Да. Его зовут Андрей Темченко.

И вновь на жутком лице сестры Ангелины ничего не отразилось. Оно было безжизненным и бесчувственным, как потрескавшаяся земля пустыни.

— Восемнадцать лет назад Андрей Темченко и три его друга отправились в лес, — сказала Маша. — После...

— Я не хочу этого слышать, — произнесла сестра Ангелина скрипучим голосом.

Стас Данилов, до сих пор нетерпеливо топтавшийся у двери, решил вступить в разговор.

— Мы нашли бумажник с прядью волос и...

— Прядь волос? — картаво перебила сестра Ангелина и посмотрела Стасу в лицо, отчего тот слегка поежился. — Она у вас?

— Нет, — растерянно ответил Стас. — Она в лаборатории. Мы...

Сестра Ангелина тяжело и хрипло вздохнула.

— Это волосы моего маленького сына! — почти выкрикнула она. — Его давно нет в живых!

Маша и Стас переглянулись. Он напряженно усмехнулся и сказал, обращаясь не столько к монахине, сколько к Маше.

— Что ж, по крайней мере, одной тайной стало меньше.

Маша сделала ему знак помалкивать и снова начала беседу.

— Сестра Ангелина, — спокойно заговорила она, — расскажите нам, пожалуйста, что произошло в охотничьем домике?

— Я не знаю, — сухо отозвалась монахиня.

— Как не знаете? — снова встрял в разговор Стас. — Вы же там были!

— Там была не я, — отчеканила сестра Ангелина. — Там была та, кем я когда-то являлась.

— Хорошо. Тогда спросите ту, «другую», что она делала в охотничьем домике восемнадцать лет назад!

— Стас, — с легким упреком произнесла Маша.

Он снова примирительно поднял руки, как бы говоря — «ладно, умолкаю, дальше говори сама».

— Сестра Ангелина... — начала Маша.

— Бросьте это дело! — хрипло перебила ее, словно прокаркала, сестра Ангелина, сверкая белым глазом. — Бросьте!

— Мы не можем, — спокойно и веско сказала Маша. — Один из тех парней покончил жизнь самоубийством. Другого убили. Рассказать вам как?

Сестра Ангелина молчала, сдвинув брови и поджав тонкие губы.

— Ему набили рот ядовитыми пауками, — сказала Маша. — А потом...

— Что с остальными двумя? — внезапно спросила монахиня, сверкнув слепым глазом. — Они живы?

— Да. По крайней мере, один из них точно жив. Он в больнице.

— Он никогда не выйдет оттуда.

— Что?

Монахиня подняла голову и торжественно заявила:

— Время пришло. И эти двое тоже умрут. Как умерли их друзья.

Маша шагнула вперед.

— Расскажете нам, что вы знаете? — спросила она.

Сестра Ангелина вздрогнула. Медленно перевела на Машу взгляд, а потом резко сказала:

— Уходите! Я вам ничего не должна!

Маша оторопела. Они со Стасом переглянулись.

— Сестра Ангелина...

— Уходите! — закричала монахиня, выпучив на них два страшных глаза — белый и черный. И, вцепившись тощими пальцами в подлокотники кресла, резко подалась вперед. — Уходите! Вон!

Дверь за спиной Стаса открылась, и в комнату заглянула сестра Таисия.

— Прошу вас — идемте! — сказала она.

Сестра Ангелина принялась раскачиваться в кресле, бормоча отчаянным, безумным, полным горечи голосом:

— Уходите!.. Уходите!.. Уходите!..

— Пойдем, Глеб, — сказала Маша.

— Но...

— Пойдем!

Маша почти насильно вытолкнула Данилова из комнаты.

— Подождите меня на улице, — велела им сестра Таисия. — А я попробую ее успокоить.

Маша и Стас вышли на улицу, а сестра Таисия вернулась в келью.

— Черт, как хочется курить, — проговорила Маша.

— Думаю, слово «черт» здесь не вполне уместно, — заметил Стас. — Хотя минуту назад у меня было такое ощущение, будто в сестру Ангелину вселился бес. Видела икону, которую она рисует? Мне все время казалось, что этот монстр за мной следит.

— Это не монстр. Это святой человек.

— Он такой же святой, как я — балерина Волочкова.

Стас бросил в рот жевательную резинку. Протянул подушечку Маше. Она отрицательно покачала головой.

— Она нам угрожала, или я что-то не так понял? — спросил, пожевывая жевачку, Стас.

— Скорее предупреждала.

— Я чувствую себя так, словно попал в темное Средневековье. Монахи с бельмами, тайны, мистика... — Стас поежился. — Не люблю мистику. Даже фильмы ужасов не переношу. А ты?

— Любое чудо имеет вполне рациональное объяснение, — сказала Маша. — Здравый смысл побеждает мистику на раз-два.

— Так-то оно так, — согласился Стас. — Но сдается мне, что я еще не раз увижу физиономию сестры Ангелины в кошмарном сне. Неужели она ушла в монастырь из-за того ублюдка, которого отравила черт-те сколько лет назад? Она ведь его ненавидела. И в милицию на отморозков, которые ее избили, не подала.

— Возможно, не только из-за этого, — сказала Маша.

Стас насторожился:

— Думаешь, нам стоит хорошенько покопаться в ее прошлом?

— Однозначно, — подтвердила Маша.

— Смотри — туристы идут! — сказал Стас, кивнув в сторону группы мужчин и женщин в светской одежде, с фотоаппаратами в руках.

— Не туристы, а паломники, — поправила Маша.

— Правда? — Данилов усмехнулся. — А похожи на обычных туристов.

От группы отделились двое — интеллигентного вида пожилой мужчина, одетый в старомодное пальто, и полная женщина с широкополой шляпой на голове. Они подошли к Стасу и Маше. Женщина улыбнулась:

— Здравствуйте!

— Добрый день! — отозвалась Маша.

Стас молча кивнул. Мужчина сделал то же самое.

— Вы не из нашей группы? — осведомилась толстуха.

— Нет, — сказала Маша, — мы сами по себе.

— Ясно. Не подскажете, где здесь святой источник?

Маша и Стас переглянулись. Он пожал плечами.

— Нет, — сказала Маша. — Простите, мы не в курсе.

Женщина перевела дух. Толстое лицо ее раскраснелось от долгой ходьбы.

— Уморились совсем, — сообщила она, вытирая платком шею. — Не думала, что этот монастырь такой огромный.

— Пятнадцать квадратных километров, — деловито сообщил интеллигентный мужчина, исподволь с любопытством разглядывая Машу.

— С ума сойти! — хмыкнула его спутница. — Есть где огородики разбить! — Она сунула платок в карман куртки и заговорщицки посмотрела на Машу. — Видели здешних пав? Среди них есть настоящие красотки. И та-акие сексуальные.

— Вы про кого? — не сразу поняла Маша.

— Про монашек, про кого ж еще?

— Это правда, — вздохнул ее спутник. И философски добавил: — Ума не приложу, как эти молодые, красивые, пышущие здоровьем девушки соглашаются на такую жизнь? Есть ведь, в конце концов, и естественные потребности, которые как-то нужно удовлетворять.

— Вы про секс? — иронично поглядывая на парочку паломников, уточнил Стас.

— Да, — кивнул мужчина.

— Я тоже не понимаю — как они тут без мужиков обходятся? — простодушно поддержала толстуха.

— Они — невесты Бога, — сказал Стас. — И хранят верность своему суженому.

— Да какое там! — махнула она пухлой рукой. — Грешат, да почище нашего!

— То есть? — не поняла Маша.

На этот раз переглянулись толстуха и ее худосочный спутник.

— Способов много, — с вежливой улыбкой разъяснил он. — Существуют разные суррогаты.

— Какие суррогаты? — снова не поняла Маша.

— А вы не знаете? — хихикнула толстуха. — Бросьте, это ведь всем известно. Думаете, почему они выращивают на грядках кабачки цукини?

— Чтобы кушать? — поднял брови Стас.

Толстуха и интеллигент снова переглянулись. Вид у них был насмешливый.

— Знаем мы, зачем им цукини! — сказала толстуха. — Уж больно форма у этих овощей интересная!

— То есть вы думаете, что они... — Маша осеклась.

— Не стоит этому удивляться, — сказал паломник. — Об этом еще Александр Невзоров в своем интервью говорил, а он журналист серьезный, врать не станет.

— А что он говорил? — поинтересовался Стас.

— Про то, что монахиням нужно запретить выращивать кабачки, чтобы не провоцировать их на греховные мысли, — сказал мужчина.

— Вы думаете, что они...

— Конечно! — кивнула толстуха. — Против природы не попрешь!

— Это правда, — согласился интеллигент. — С естеством не поспоришь. В принципе это вполне простительно, даже для монахини. Видели сестру Таисию? Приодеть ее, так она любую манекенщицу за пояс заткнет.

— Может, у нее были свои веские причины уйти в монастырь?

Толстуха осклабилась.

— Я вас умоляю. Молодой человек, вы и в самом деле такой наивный? Если эта красавица ушла в монастырь, значит, ей было от чего бежать. Представляете, как она нагрешила в мирской жизни с этой своей красотой.

— Да уж, грех прямо-таки написан у нее на лице, — поддакнул ее спутник. — Впрочем, ей простительно. Против естества не попрешь.

Стас посмотрел на него задумчиво, а потом так же задумчиво спросил:

— Интересно, если я стукну вас сейчас кулаком по физиономии — это тоже будет простительно?

— Э-э... — Мужчина растерялся и побледнел. — Простите...

— Организм требует, — объяснил Стас. — Да так, что прямо кулаки чешутся. С естеством ведь лучше не спорить, правда?

Мужчина открыл от удивления рот.

— Простите, я не понимаю, при чем тут...

— Грязные мыслишки жить спокойно не дают? — перебил его Стас. — Ты поэтому сюда приехал?

— Стас, — осадила его Маша.

— Прочисти себе мозги, — посоветовал интеллигенту Стас. — Хотя это уже, видимо, бесполезно. В них столько тараканов, что и бригада дезинсекторов не справится.

Мужчина перевел взгляд на Машу и процедил:

— Ваш приятель — настоящий хам.

— Да, — согласилась Маша, — но добрый хам. Чего не скажешь о вас.

Толстуха и худосочный интеллигент развернулись и поспешили прочь.

— Хамка, — пробурчал себе под нос интеллигент. — Смазливая хамка.

— И не говорите, — так же тихо поддакнула ему спутница. — А еще в монастырь приехали. Проститутка, наверное. А этот, с глумливой рожей, ее сутенер.

— Все может быть, — сказал мужчина. Пожал плечами и добавил: — Я бы, по крайней мере, не удивился.

Стас и Маша проводили их насмешливыми взглядами.

— Сладкая парочка, — сказал Стас.

— Да, они друг друга стоят, — хмыкнула Маша. — Слушай, Стасик, прикрой меня. Если не затянусь пару раз — помру.

Маша достала пачку «Aroma Rich» и вынула сигарету.

— Завязывать надо с никотиновой зависимостью, Мария Александровна, — с осуждением сказал Стас.

— Да, знаю. Но силы воли не хватает. — Маша прикурила от серебряной зажигалки.

— На то, чтобы выйти в одиночку против толпы безумцев, хватает, а на это нет? — усмехнулся Стас.

Маша выпустила струйку дыма и сказала:

— Дурные привычки — самые стойкие. За долгие годы они становятся частью характера, частью тебя самого. А отрезать от себя кусок не так-то просто.

— Кто-то идет!

— Черт!

Маша бросила недокуренную сигарету на землю и наступила на нее ногой.

— Остерегитесь произносить такие слова в стенах нашего монастыря, — услышала она голос сестры Таисии.

Девушка вышла на улицу и притворила за собой дверь. Взглянула на Машу и спросила:

— Что там случилось?

— Я думала, вы нам это скажете, — ответила Маша.

— Меня там не было.

— Случилось то, что случилось, — сухо сказал Стас. — А как себя чувствует сестра Ангелина?

— Она успокоилась. И, кажется, задремала. И всетаки, что произошло?

— Я задала ей пару вопросов о ее прошлой жизни — когда она еще не была монахиней. Сестра Ангелина пришла в ярость.

— Да уж, — хмыкнул Стас. — Никому не хочется вспоминать о своих прошлых грехах, даже «святым» монашкам.

Сестра Таисия поморщилась от слов Данилова и хотела что-то сказать, но в эту секунду из глубины дома донесся короткий хриплый вскрик.

Стас и Маша, как по команде, сорвались с места и бросились в дом.

Когда они ворвались в комнату, сестра Ангелина сидела в своем инвалидном кресле спиной к двери, низко склонившись над мольбертом с недописанной иконой.

— Сестра Ангелина? — окликнула ее Маша.

Монахиня не шелохнулась.

— Сестра Ангелина!

С черного платка монахини вспорхнул белый мотылек. Почувствовав неладное, Маша прошла к креслу, положила на плечо монахине руку и потянула ее на себя. Сухое тело сестры Ангелины откинулось на спинку кресла, и Маша испуганно отпрянула. Из слепого окровавленного глаза монахини торчала рукоять кисточки.

— Это не я... — испуганно забормотала сестра Таисия, пятясь к двери. — Когда я уходила, с ней все было в порядке... Честное слово, это не я!

— Тихо, — сказал ей Стас. — Тихо. Успокойся.

Маша пощупала пальцами шею сестры Ангелины. Убрала руку и повернулась к Данилову.

— Мертва, — сказала она. — Вызывай бригаду.

Он кивнул и потянулся в карман за телефоном. Сестра Таисия выскочила из комнаты, из-за двери доносился ее плач.

Маша бегло осмотрела труп монахини и келью. Она обратила внимание на то, что правая рука сестры Ангелины испачкана краской, а в помещении сильно пахнет растворителем.

Маша взглянула на недописанную икону и удивленно нахмурилась. Судя во всему, перед смертью монахиня пыталась затереть красочный слой. На низком столике перед мольбертом лежала тряпка, смоченная растворителем.

Маша посмотрела на тряпку, на икону, потом снова на тряпку. Внезапно она поняла, что нужно делать. Секунду поколебавшись, Маша подняла тряпку и провела ею по свежему слою краски. Он сошел, обнажив фрагмент другой картины.

Пока Стас говорил по телефону, Маша еще пару раз провела ветошью по иконе и опустила руку. Из-под лика святого старца проступило другое лицо — молодой красивой женщины. Черты ее были гневно искажены, а в широко раскрытых глазах застыло бешенство.

Глава 7

КОШМАРЫ

1

Толя Волохов поставил на стол чашку с недопитым чаем, выпучил глаза и возмущенно воскликнул:

— Ты это мне говоришь? Да я сыщик от бога!

— От какого конкретно бога? — иронично уточнил Стас. — От Бахуса, что ли?

— При чем тут Бахус, я уже три месяца в завязке.

— Три месяца? — Данилов присвистнул. — Ого! Ослабь узел, малыш, а то еще задохнешься.

Волохов скривился:

— Очень смешно. Ты, случайно, клоуном в цирке не подрабатываешь?

— Увы. Там была всего одна вакансия, и ты ее давно занял.

Дверь открылась, и в кабинет вошла Маша Любимова. Сбросив на ходу плащ, она подсела к Стасу за стол и велела:

— Ну, показывай, что удалось нарыть.

— Легко! — сказал Данилов и клацнул клавишей компьютера.

На экране появилось лицо сестры Ангелины — такое, каким оно было несколько лет назад.

— Светлана Ивановна Паскевич, уроженка Украины, — комментировал Стас. — Родилась в городке под названием Новомосковск. Это под Днепропетровском.

— Знаю, — сказала Маша. — Хороший город.

Стас посмотрел на нее с сомнением.

— Маш, это крошечный городок, в нем всего полсотни тысяч жителей. Откуда ты могла про него слышать?

— Книжки люблю читать.

— И что, в книжках пишут про Новомосковск? А про деревню Гадюкино там, случайно, не пишут?

— Темный ты парень, Стасис. Слышал такие фамилии — Родзянко и Дурново?

— Это что-то дореволюционное?

— Угу. Родзянко — председатель дореволюционной Думы, а Дурново — премьер-министр России перед русско-японской войной. Так вот, оба они когда-то жили в Новомосковске.

Стас улыбнулся:

— Маша, ты просто эрудит. Википедия с Вассерманом нервно курят в сторонке. Колись, что у тебя связано с этим городком?

— Моя мама оттуда родом.

На лице Стаса отобразилось легкое удивление.

— Бывают же в жизни совпадения!

— Бывают, Стас, бывают. Итак, что еще ты узнал про сестру Ангелину?

— Немногое. В столице прописалась в девяносто восьмом году, когда вышла замуж за мелкого московского бизнесмена Видади Гаджи-Оглы.

— Типичный москвич, — заметил Толя Волохов. И процитировал, изображая кавказца: — «Слюшай, дарагой, у тебя эсть прописка?» — «Про что?» — «Прописка!» — «Про писка? Канэшна, эсть! Хочищь — пакажу?»

Стас засмеялся.

— Хватит ржать, — с напускной строгостью осадила их Маша. — Националисты проклятые.

— Простите, товарищ майор. На чем я остановился?

— На пропис... Тьфу ты. На том, что гражданка Паскевич вышла замуж за гражданина Гаджи-Оглы.

— Точно, — кивнул Стас. — Только москвичом он после этого пробыл недолго. Если быть точным — всего один год. В девяносто девятом гражданин

Гаджи-Оглы умер от сердечного приступа, завещав гражданке Паскевич С. И. однокомнатную квартиру в Марьиной Роще. Дальше — прочерк, вплоть до момента задержания гражданки Паскевич по обвинению в убийстве любовника.

— Удалось что-нибудь узнать про ее семью?

— Да. В Новомосковске у сестры Ангелины остались родители. Вроде оба живы.

Маша задумчиво побарабанила пальцами по столу. Потом встала и двинулась к выходу.

— К Старику? — уточнил Стас.

— Да. Попытаюсь выбить командировку.

— Я могу поехать с тобой, — предложил Стас.

— И я, — сказал Толя.

Маша отрицательно качнула головой:

— Нет. Двоих Старик не отпустит. А тем более троих.

Стас вздохнул.

— Как кататься по заграницам — так ты, — пожаловался он, — а как шляться по злачным местам Москвы — так мы с Волоховым.

— Такая уж у вас доля, — сказала Маша. — Не грусти. Привезу тебе из Украины сало и пампушки.

— Сало я и в Москве куплю.

— Такого, как на Украине, не купишь. Не веришь — спроси у моей мамы.

Маша улыбнулась Стасу и вышла из кабинета.

Полковник Жук (в просторечии — Старик) выслушал Машу внимательно, ни разу не перебив. Седые волосы его были аккуратно причесаны, седые усы — подстрижены и подбриты. Во взгляде серых глаз вежливость и невозмутимость. Глядя на него, Маша в очередной раз подумала, что никогда в жизни не видела Старика раздраженным или восторженным. Если бы какой-то умелец смог создать робота с лицом доброго дедушки, то этот робот выглядел бы в точности, как полковник Жук.

— Андрей Сергеич, — сказала она после доклада, — это единственная «ниточка», и мы не можем упустить ее.

Полковник Жук несколько секунд обдумывал ее слова, после чего задал один-единственный вопрос:

— Вы уверены, что эта поездка не будет простой потерей времени?

— Не знаю, — честно призналась Маша. — Но чутье подсказывает мне, что начало этой запутанной истории нужно искать в Новомосковске.

— Что ж, Мария Александровна, у меня нет оснований не доверять вашей интуиции, — сказал полковник Жук. — Когда вы сможете отправиться в Новомосковск?

— Сегодня.

Он кивнул:

— Хорошо. Поезжайте и сообщайте мне обо всем, что узнаете. Звоните напрямую.

— Слушаю, товарищ полковник.

Маша поднялась со стула. Старик, будучи прирожденным джентльменом, тоже.

— Андрей Сергеевич, могу я поделиться полученной информацией с Глебом Корсаком? — спросила Маша.

— С Глебом? — слегка приподнял брови Старик. — Он ведет журналистское расследование?

— Да.

Полковник пожал плечами:

— Я не против. При условии, что он не будет ничего публиковать, не посоветовавшись с нами.

— Он не будет, — пообещала Маша. — Вы же его знаете.

— И еще один вопрос. Мария Александровна, как вы думаете, почему она все-таки сделала это?

— Вы про сестру Ангелину?

Старик кивнул.

— У меня только одно объяснение, — сказала Маша. — Думаю, она была уверена, что станет следующей. После Пряшникова и Ройзмана.

— И предпочла покончить с собой?

— Если вспомнить, как умер Ройзман, ее поступок не кажется таким уж нелепым.

— Да, вы правы. — Полковник Жук пару секунд помедлил, что-то обдумывая. Потом сказал: — Перед вашим приходом мне позвонили из реставрационной мастерской. Реставраторы смыли верхний слой краски с четырех икон. На каждой из них было изображено лицо девушки. Сестра Ангелина рисовала его снова и снова. А потом закрашивала и писала поверх него святые лики. Как думаете, с чем это связано?

— Не знаю. Но могу предположить, что она пыталась так... — Маша пожала плечами, — отгородиться?

Полковник Жук кивнул:

— Да, мне тоже так кажется. Реставраторы восстановили портрет девушки во всех деталях. Прислали его мне по электронной почте, я распечатал. — Полковник открыл верхний ящик стола, достал из него лист бумаги и протянул Маше. — Возьмите, вам может пригодиться.

Маша взяла портрет, скользнула по нему взглядом. Те же искаженные злобой черты, то же бешенство в глазах.

— Отправляясь на Украину, вы подвергаете себя потенциальной угрозе, — сказал полковник Жук.

— Я это понимаю, — ответила Маша, складывая листок с портретом вдвое. — И буду осторожна.

— Хорошо, — проговорил Старик так, словно проявил максимум участия и мог теперь спокойно умыть руки. — Удачи в Новомосковске.

Он коротко кивнул, Маша кивнула в ответ, попрощалась и вышла из кабинета.

Вернувшись, она сообщила о решении Старика коллегам.

— Машина уже ждет, парни. Мне пора.

Толя посмотрел на Машу — хрупкую, тонкую, как девочка, скептически скривил рот и спросил:

— Маша, а как насчет оружия?

— Какого оружия? — не поняла она.

— Табельного.

— Не говори ерунды.

— Маш, Толя прав, — поддержал коллегу Стас. — Едешь в незнакомый город, одна. Нужно оформить провоз оружия.

— Слишком много канители, — сказала Маша. — Не забивайте себе голову.

— Хотя бы травматику, — пробасил Волохов. — У меня есть свободный ствол. Отобрал его у одного хулигана, но забыл сдать.

Маша улыбнулась.

— Толь, спасибо за заботу, но как-нибудь обойдусь.

— А если я буду настаивать?

— Это ничего не изменит. — Она посмотрела на часы. — Мне пора на вокзал. Давайте, что ли, присядем на дорожку?

Они сели на стулья.

— Что-то у меня душа не на месте, — сказал Стас. — Ты хоть позвони, когда прилетишь. И после разговора с родителями сестры Ангелины тоже. Вообще звони каждый час, чтобы мы знали, что с тобой все в порядке.

— Каждый час вряд ли получится. Но постараюсь быть на связи. Сами-то хоть без толку не трезвоньте.

— Без толку — не будем, — пообещал Стас.

— Ну, пора!

Маша поднялась со стула и пошла к вешалке. Стас помог ей надеть плащ, а Толя поднес сумочку. Перед тем как выйти, Маша чмокнула обоих в щеку.

— Ну? Так что ты там говорил про душу? — хмуро уточнил Толя у Данилова, когда Любимова покинула кабинет.

— Про что?

— Про то, что она у тебя не на месте. Дурные предчувствия?

— Есть немного, — сознался Стас.

Волохов сдвинул брови, сжал толстые пальцы в огромный кулак и легонько пристукнул им по столу.

— Если с Машей что-то случится...

— Знаю, Толя, знаю. Ты сотрешь этот городок с лица земли.

Стас попытался улыбнуться, но не смог, лицо его осталось серьезным. Было видно, что он и правда не на шутку волнуется за Машу.

— Может, позвонить Глебу и сообщить, что Маши не будет в городе? — предложил Толя.

Стас дернул щекой:

— Обойдется. Он сейчас в больнице, задраивает течь в голове. Надеюсь, врачи смогут спасти ему хотя бы часть мозга. Ну, а не сумеют — тоже не велика потеря.

Толя неодобрительно посмотрел на друга и пробасил:

— Злой ты, Стасис.

— Есть такое.

— А я думаю, что зря они разошлись. Хорошая была пара.

Стас метнул в него яростный взгляд.

— Толя, иногда, когда ты что-то говоришь, у меня создается ощущение, что ты бредишь.

Волохов кивнул:

— Ясно.

— Что тебе ясно?

— Ты все еще по ней сохнешь, да?

— Что за ерунда! — фыркнул Стас.

— Сохнешь, — уверенно сказал Толя.

— Бред!

— Точно сохнешь.

Данилов криво ухмыльнулся и спросил:

— Вот скажи мне, Анатоль, когда ты в последний раз развлекался сразу с тремя обнаженными красотками?

— Дай-ка подумать... — Толя наморщил массивный лоб. — Лет тридцать тому назад. Когда пятилетним мальчуганом ходил с мамой и сестрами в общественную баню. С тех пор — ни разу.

— То-то и оно, — насмешливо прищурился Стас. — А я позапрошлой ночью спал с тремя красотками из модельного агентства.

— И как? — спросил Толя.

— Что как?

— Они тебе не сильно мешали?

— Балбес ты, Анатоль, — улыбнулся Стас. — Настоящий балбес.

— Пусть и балбес, зато честный.

На столе запиликал телефон для внутренней связи. Толя снял трубку:

— Да... Слушаюсь, товарищ полковник! — Он положил трубку на рычаг и повернулся к Данилову. — Старик вызывает. У него появились какие-то соображения по поводу нашего дела и Машиной командировки. Хочет с нами посоветоваться.

— Что ж, пойдем послушаем.

Коллеги поднялись со стульев и вышли из кабинета.

2

Глеб, морщась при каждом шаге от боли в голове, прошел по университетскому коридору и остановился у деревянной двери кафедры искусствоведения. Голова его была по-прежнему забинтована, но бинт скрывала черная вязаная шапочка, которую Глеб надвинул на самые брови.

При виде этого коридора и двери на Корсака нахлынул целый шквал воспоминаний, заставив его сердце сжаться от светлой грусти по былому. Но он отогнал от себя грусть, уверенным движением повернул медную ручку и распахнул дверь кафедры.

В просторном кабинете сидела за компьютером стройная брюнетка в белой кофточке.

— Здравствуйте! — приветствовал ее Глеб.

— Добрый день! — улыбнулась девушка, отведя взгляд от экрана.

Глеб вошел и притворил за собой дверь.

— Вы секретарь кафедры? — уточнил он.

Она кивнула:

— Да. А вы по какому-то вопросу?

— Я когда-то здесь учился, — сообщил Глеб.

— Ясно. Так вы преподаватель?

Он улыбнулся и покачал головой:

— Нет, к сожалению.

— К сожалению? — подняла брови девушка-секретарь.

— Да. Всегда мечтал заняться преподаванием. Мне кажется, это самая приятная работа на земле.

Прохаживайся себе вдоль доски и рассуждай вслух о вещах, которые тебе интересны.

— А кем вы работаете?

— Я журналист. Зовут меня Глеб Корсак. А вы...

— Лена, — представилась девушка. — Просто Лена. Вы слишком оптимистично смотрите на профессию преподавателя. У меня мама и папа преподаватели. И знаете, со студентами бывает очень трудно.

— Знаю, — кивнул Глеб. — Сам таким был.

— Правда? — улыбнулась Лена.

— Да. На четвертом курсе меня даже собирались отчислить.

— За что?

— За то, что играл в покер на лекции по научному атеизму. Хорошо, что декан вступился, а то бы вылетел я из универа, как пробка из бутылки.

Девушка засмеялась.

— Бывает. Ну, вы хотя бы выиграли?

— Выиграл? — не понял Глеб.

— Ну, ту игру, во время которой вас «замели».

— Да, — кивнул Глеб. — В карты мне везет. — Он вздохнул и добавил с напускной грустью: — В отличие от остального.

— Вы не похожи на неудачника.

— Возможно. Но на баловня судьбы тоже.

— Спорный вопрос. Так что вас сюда привело, Глеб?

— У вас на кафедре работает Ирина Михайловна Гдлян. Я слышал, что она специализируется на всякой «средневековой нечисти» и что она лучшая в этой области.

— Да, — ответила секретарь. — В ведьмах и колдунах Ирина Михайловна разбирается лучше всех. У нее сейчас лекция во второй «поточке».

— Во сколько заканчивается лекция?

Лена взглянула на циферблат наручных часиков.

— Через одиннадцать минут. Кстати, потом у Ирины Михайловны «окно». В это время она ходит пить кофе в буфет на втором этаже.

— Отлично. Попробую составить ей компанию.

— Вам это нужно для статьи? — с любопытством спросила секретарь.

— Да.

— Интересно будет почитать. Вы помните, где вторая «поточка»?

— Конечно. Не такой уж я и старый. — Глеб подмигнул девушке. — Спасибо за помощь, Лена!

— Не за что, Глеб.

— Удачи!

— И вам!

Глеб вышел из кабинета и прикрыл за собой дверь. Постоял немного, ожидая, пока утихнет очередной приступ головной боли, затем повернулся и медленно побрел к лифту.

* * *

На вид ей было лет тридцать пять, хотя возможно, что она просто очень хорошо выглядела. Ухоженная, стройная, с правильными чертами лица. Очки в модной черной оправе ее ничуть не портили, даже напротив — придавали ей какое-то утонченное изящество.

Глядя на Ирину Михайловну, Глеб подумал, что во времена его студенческой юности кандидаты и доктора наук не выглядели так сексуально.

Ирина Михайловна отпила глоток кофе, покосилась на официантку, которая поменяла пепельницу, поправила очки и сказала:

— На кострах, Глеб Олегович, сжигали не только ведьм. Мужчин-колдунов сожгли ничуть не меньше, чем женщин.

— Почему же постоянно говорят только о сожженных ведьмах? — поинтересовался Корсак и тоже запил свой вопрос отличным кофе.

Ирина Михайловна улыбнулась:

— Тому может быть много причин. Но, кажется, вы спрашивали совсем не об этом. Вы спросили, верю ли я в ведьм, так?

— Так, — кивнул Глеб.

— Я — доктор исторических наук, преподаватель университета.

— Это значит — нет?

— Разумеется. Хотя... — Она как-то смущенно и растерянно улыбнулась. — «Есть многое, Горацио, на свете, что и не снилось нашим мудрецам».

— То есть вы вполне допускаете их существование?

Ирина Михайловна вздохнула и задумчиво произнесла:

— Не знаю, что вам и сказать. Чем дольше живешь на свете, тем отчетливее понимаешь, что на большинство наших вопросов мы никогда не услышим ответов. По сути, мы рождаемся, ничего не зная, и умираем — так ничего и не узнав. Я выбрала для себя профессию историка, поэтому стараюсь мыслить в рамках избранной парадигмы. Но если вдруг у меня на спине вырастут черные крылья и врачи подтвердят, что это действительно крылья, а не обман зрения, то я тут же откажусь от научного мышления и пойду в церковь — замаливать грехи.

— Черные крылья? — Глеб улыбнулся. — А разве ведьмы летают не на метлах?

— В основном да. Но случаются и отклонения.

Глядя на Ирину Михайловну, он подумал, что она и сама похожа на ведьму. На хорошенькую, зрелую, удачно молодящуюся ведьму.

Она подняла руку и посмотрела на часики. Потом перевела взгляд на Глеба и вдруг спросила с легкой улыбкой:

— Кстати, а почему вы пришли именно ко мне?

— Видел телепередачу с вами. Кажется, это была «Школа злословия».

— Было дело, — кивнула Ирина Михайловна. — При монтаже меня там сильно «порезали». Но в целом передача вышла довольно интересная. — Она отпила еще кофе. — Так о чем будет ваша книга, Глеб Олегович? Неужели о ведьмах?

— Скорее, о месте колдовства и магии в современном мире. Ведьмы — лишь один из примеров.

Она кивнула:

— Понимаю. Наши представления о средневековых ведьмах очень стереотипны. Мы считаем, что они были злыми, устраивали заговоры, вступали в секты и летали на шабаши. Однако в былые времена ведьма не всегда воспринималась как зло. Она могла быть доброй помощницей, приносить пользу людям.

— Меня интересует именно мрачный аспект колдовства, — сказал Глеб. — Тот, что связан со злом. И еще я где-то читал, что ведьмами часто «назначали» проституток. Это так?

— Да. Но при этом нужно помнить, что проститутками в Средние века называли не только женщин, которые предлагали себя за деньги. Любая одинокая женщина могла быть записана в проститутки, например, ушедшая из дома и оставшаяся без поддержки родных автоматически теряла статус добропорядочной, и в обществе к ней относились как к потенциальной распутнице. Сожительство без заключения брака, развратное поведение замужней дамы также могли расцениваться как проституция. Жанну д'Арк тоже ведь поначалу обвиняли в проституции лишь на том основании, что она покинула своих родных и отправилась в армию. Потом это обвинение постепенно переросло в обвинение в колдовстве.

— А что в наше время? — спросил Глеб. — Кто-нибудь охотится на ведьм?

— Еще как, — усмехнулась Ирина Михайловна. — Сейчас я вам кое-что покажу.

Она достала из сумки папку в красном кожаном переплете, раскрыла ее, быстро перелистнула несколько листков, достала вырезку из газеты и положила перед Глебом.

— Вот, почитайте.

Он взял вырезку и прочел:

«48-летний житель Благовещенска Олег забил колом 70-летнюю мать, обвинив ее в том, что она ведьма. К зловещему поступку избавитель от демонов готовился не один день. Он заранее заточил черенки от лопат в форму кольев, запасся кислотой и наручниками.

Полицейские с трудом смогли переступить порог дома, где произошло преступление. Квартира напоминала фильм ужасов. Мужчина облил лицо и руки матери кислотой, пристегнул ее к кровати наручниками, залил рот монтажной пеной и вбил в грудь два кола.

Сейчас подозреваемый находится в изоляторе временного содержания, решается вопрос об избрании меры пресечения. Сам убийца считает, что избавил мать-ведьму от вечных мук и страданий. Мол, теперь ее душа попадет непременно в рай».

— И это лишь один случай из множества, — сказала Ирина Михайловна.

— Н-да... — протянул Глеб, откладывая газетную вырезку. — Наш мир неизлечимо болен.

— Не знаю, как насчет всего мира, а наше общество точно здоровым не назовешь, — сказала Ирина Михайловна. — Мне часто кажется, что мы возвращаемся в эпоху мракобесия, когда на смену компьютерам и коллайдерам снова приходят магия и суеверия. Этому немало способствует современная литература. Все эти импортные «Гарри Поттеры», «Ведьмаки»... Да и наши не отстают. «Ночной дозор», «Плащаница колдуна», «Ангелы бездны»... Вся эта магическая фантастика с городами, селами и лесами, напичканными языческой нечистью...

— Кое-кто из интеллектуалов считает, что в переходе к мистическому взгляду на жизнь нет ничего плохого, — заметил Глеб.

Ирина Михайловна нахмурилась, поправила очки и строго заявила:

— «Интеллектуалы» просто развлекаются, а наши дети страдают по-настоящему. У вас есть ребенок?

— Сын. Но он еще мал для книг.

— А жена?

Глеб улыбнулся:

— Читает ли она книги?

Ирина Михайловна тоже улыбнулась.

— Существует ли она в природе?

Глеб покачал головой:

— Нет.

Ирина Михайловна склонила голову набок и посмотрела на Глеба игривым, оценивающим взглядом, глаза ее заблестели ярче, губы слегка приоткрылись. Глеб только сейчас обратил внимание, что на безымянном пальце у нее нет кольца.

— У меня дома богатая библиотека по магии и мистике, — сказала Гдлян мягким голосом, в котором не осталось ничего официального. — Хотите взглянуть?

— Нет, не думаю, — ответил Глеб.

Она вздохнула:

— Жаль. Вам бы понравилось.

— Не сомневаюсь. Но по вечерам я обычно занят. А днем заняты вы.

— Я поняла. — Ирина Михайловна опять вздохнула и произнесла с грустной иронией: — Жаль, что я не ведьма. Я бы могла вас приворожить.

— Вряд ли. Я крепкий орешек.

Глеб взглянул на часы.

— А как обычно выглядят ведьмы? — спросил он.

— По поводу внешности ведьм существовали разные представления. На севере России считалось, например, что ведьма — это старая некрасивая женщина, которая при желании может превратиться в юную красавицу. А у южных славян, на Украине, ведьма пребывает в облике юной красавицы — девицы или молодой женщины, но внутренняя ее сущность — вредная жуткая старуха, в которую она превращается, когда успевает заманить в свои сети душу мужчины.

— И еще один вопрос, — сказал Глеб. — Как обычно убивали ведьм?

— Вы хотели сказать: женщин, которых принимали за ведьм?

— Да, конечно.

— Существует широко распространенное суеверие, в особенности среди славян и русских, что ведьма или колдун не может умереть, пока они не передали «слово» своему преемнику.

— Слово? В смысле — свой дар?

— Да. Можно сказать и так. Легенды гласят, что, если ведьма этого не сделает, она не сможет умереть. Ведьма способна передать свой дар через простое прикосновение. Ну, или через какой-нибудь предмет. Поэтому люди стараются не касаться умирающей ведьмы — даже стакан воды из рук в руки ей не передают. Есть и другая причина, почему ведьмы не умирают окончательно.

— Какая?

— Жажда мести. Люди всегда верили, что после смерти ведьма может подняться из могилы и навестить своих врагов.

— Но есть же какой-то способ убить ведьму окончательно и бесповоротно? — уточнил Глеб, сам удивляясь серьезности, с которой он задал этот вопрос.

Ирина Михайловна улыбнулась, и в ее улыбке Глебу померещилось что-то бесовское.

— Убить ведьму «окончательно и бесповоротно» очень трудно, — спокойно сказала она. — В Полесье говорили, что ведьма не может умереть, пока не разберут потолок ее дома или пока ее не накроют телячьей шкурой. Агонизирует ведьма страшно и долго. К месту, где она умирает, сползаются и слетаются насекомые, чтобы проводить ее в ад.

Глеб обдумал ее слова и спросил:

— И есть более простые способы убить ведьму — без телячьей шкуры и разобранной крыши?

— Более простой способ? — Ирина Михайловна усмехнулась: — Огонь. Но в этом случае ведьма должна сгореть дотла. Есть еще пара способов. Можно похоронить ведьму лицом вниз или пробить ей грудь осиновым колом.

Ирина Михайловна взглянула на часики.

— Глеб Олегович, мне пора. Вот моя визитка. — Она протянула Корсаку визитную карточку и, когда он ее взял, на секунду задержала его руку в своей. — Буду рада, если вы позвоните, — сказала она.

3

— Ты все купила? — спросил Андрей Темченко.

Лиза кивнула:

— Да. Видеокамеру и штатив. Ноутбук я одолжила у двоюродного брата.

Андрей с любопытством осмотрел компьютер-лэптоп, который она поставила на тумбочку.

— «Фу-жит-су», — прочел он марку. — Это хорошая фирма?

— Да, вполне.

— У него трещина на крышке.

— Она не влияет на качество.

— Ты уверена?

Лиза кивнула:

— Да. И памяти у него свободной много — целых сто гигабайт.

Темченко усмехнулся:

— Мне это ни о чем не говорит. Дай посмотреть видеокамеру.

Лиза достала из пакета небольшую цифровую камеру «Джи-Ви-Си» и протянула Андрею. Он взял, повертел в руках.

— Как она вам? — спросила Лиза.

— Очень маленькая и легкая, — ответил он. — Как будто игрушечная. А эта штука правда хорошая?

— Да. Мне сказали, что она последнего поколения.

— Хорошо. — Он протянул камеру Лизе. — Установи ее на штатив и направь на окно. Ты сможешь ее отрегулировать?

— Наверное. Мне объяснили в магазине, как ею пользоваться.

— Хорошо, — снова сказал он и закрыл глаза, чтобы немного отдохнуть.

Лиза посмотрела на него сочувственным взглядом и тихо сказала:

— Андрей, я могу попроситься у доктора Чурсина подежурить сегодня.

Он, не открывая глаз, покачал головой:

— Не надо. Главное — не забудь включить видеокамеру перед уходом.

— Ладно.

— И установи ее в метре от окна. Так, чтобы не было заметно с улицы.

Лиза занялась установкой и подключением видеокамеры. Темченко некоторое время вслушивался в эти звуки, а потом, сам того не заметив, задремал.

Сделав работу, Лиза повернулась к Андрею и хотела его окликнуть, но услышала ровное дыхание и, поняв, что пациент спит, потихоньку вышла из палаты.

* * *

Они стояли посреди ночного леса. По темному небу ползли облака, похожие на разводы извести. За спиной у Андрея зашелестел листвой ветер.

Он оглянулся на черные деревья, тускло освещенные луной, снова перевел взгляд на лицо Виталика Борзина. Тот выглядел испуганным, но вместе с тем — лихорадочно возбужденным. Виталик облизнул пересохшие губы и хрипло выпалил, обращаясь к трем друзьям, стоявшим рядом:

— Вы должны мне помочь! Должны, ясно?!

— Я тебе ничего не должен, — сказал Игорь Пряшников. Губы у него мелко дрожали — так же, как и голос.

Андрей Ройзман, сосредоточенный, хмурый, покосился на охотничий домик, окруженный деревьями, и сказал:

— Мы сделаем это. А потом забудем навсегда.

— Я не стану в этом участвовать, — заявил Игорь Пряшников. — Это... это неправильно.

— Это единственный выход, — сказал Андрей. — Для всех нас.

— Или все, или никто, — подтвердил Ройзман, глядя Игорю в глаза. — Решай, ты с нами или нет?

Пряшников поежился от нового порыва ветра.

— Я с вами, — выдавил он наконец. И добавил: — Но все равно это неправильно.

— Тогда за дело, — предложил, возбужденно подрагивая, Виталик. — Мы должны успеть до рассвета, у нас мало времени!

Пряшников достал из кармана ветровки бутылку с недопитой водкой, снял крышку и отхлебнул. Ройзман посмотрел на него с осуждением.

— Гош, тебе обязательно пить? — раздраженно спросил он.

— Обязательно, — хмуро ответил тот. — Если я не выпью, то сдохну от страха. Как только представлю, что *она все еще там*, меня в пот бросает.

Он замолчал, потом медленно повернул голову и уставился на охотничий домик. Друзья последовали его примеру и тоже посмотрели на мрачное бревенчатое строение, освещенное лунным светом.

— А если это не сработает? — глухо спросил Пряшников. — Если Светлана не права.

— Светлана? — словно опомнился Виталик. — Кстати, а где она?

Парни посмотрели на небольшой пригорок. Светлана сидела там, на сломанном и упавшем дереве, подняв воротник плаща и закутав горло шарфом.

Виталик сжал кулаки. Заметив это, Пряшников сипло сказал:

— Ты ее не тронешь, понял?

Борзин посмотрел на него горящими глазами.

— Но она может...

— Я сказал: ты ее не тронешь, — повторил Пряшников.

— Тише, — урезонил их сдержанный Ройзман. — Не ссорьтесь. Мы должны держаться вместе, если хотим сделать все как надо.

— Согласен, — кивнул Виталик. — Если все решено, то нечего больше тянуть. Идем!

И он первым двинулся в сторону охотничьего домика. Темченко пошел было за ним следом, но остановился и испуганно посмотрел на дом. Он показался Андрею похожим на огромный почерневший от копоти череп с дырами окон-глазниц. Дом вдруг шевельнулся, задрожал, ожил и проговорил, шамкая челюстью рассохшегося крыльца:

— Я ПРИДУ ЗА ТОБОЙ! Я ПРИДУ ЗА ТОБОЙ!

Андрей проснулся весь в поту. В полумраке палаты он не сразу понял, кто перед ним. Лишь когда человек в белом халате заговорил, Темченко перестал дрожать и пришел в себя.

— Вам снятся дурные сны? — спросил Чурсин.

— Да, доктор, — хрипло пробормотал он. — Все время. Вы можете избавить меня от них?

Чурсин покачал головой:

— Боюсь, что нет.

— Может, дадите мне какую-нибудь таблетку?

— Уже дал, — улыбнулся врач. — И не одну. Ваш организм напичкан лекарствами. В том числе и наркотическими препаратами. Это приносит облегчение вашему телу, но не разуму и психике. Более того, впереди вас ждет множество неприятных часов и даже дней, когда мы будем избавлять вас от наркотической зависимости. Увы, это единственный путь к выздоровлению, и другого не существует.

Взгляд доктора упал на штатив с видеокамерой.

— Что это такое? — удивленно спросил он.

— Видеокамера, — ответил Темченко.

— И что она здесь делает?

— Я... пытался снять закат.

— Закат? — Чурсин посмотрел в окно. — Но там только дома, и никакого горизонта. И вообще, окно выходит на восток.

— Да. Но в стеклах дома напротив отражается закатное солнце. И это очень красиво.

— Гм... — с сомнением проговорил доктор и потер пальцами подбородок.

Темченко улыбнулся:

— Евгений Борисович, у меня здесь не так много развлечений. Кроме того, это единственный способ полюбоваться на закат. Мне ведь нельзя вставать. Надеюсь, вы не заберете видеокамеру?

— Да... То есть нет. Конечно, не заберу. Но впредь, если вам в голову придет еще какая-нибудь гениальная мысль, не забудьте поделиться ею со мной. Хорошо?

— Договорились, — сказал Андрей.

— Подать вам видеокамеру?

Андрей чуть заметно качнул головой:

— Нет, пока не надо. Я позже попрошу кого-нибудь из сестер.

— Как скажете. Выздоравливайте!

Доктор ушел, и Андрей остался в одиночестве. Впрочем, ненадолго. Не прошло и десяти минут, как дверь открылась и вошла Лиза. Скользнув взглядом по палате (лицо Андрея, видеокамера, снова его лицо), она плотно прикрыла за собой дверь.

Темченко улыбнулся — Лиза напомнила ему диковатую, но ласковую лань. Такая же худенькая и угловато-грациозная, с такими же огромными и доверчивыми глазами.

— Я ждал вас весь день, — с упреком сказал Темченко.

— Простите, — смущенно проговорила Лиза, — я не могла прийти раньше. С утра была в лаборатории, а потом в соседнем отделении. Там нужно было...

— Ладно, — нетерпеливо перебил ее Андрей. — Лиза, давайте посмотрим, что сняла видеокамера.

— Хорошо. — Она подошла к тумбочке, открыла крышку ноутбука. — Сейчас открою файл с записью.

Действовала Лиза не очень-то умело, вновь вызвав у Андрея улыбку. Впрочем, улыбка у него была бледной и напряженной. Наконец девушка повернула компьютер экраном к нему и нажала на кнопку «пуск».

Около минуты они молча смотрели видеозапись. Часть палаты, широкий белый подоконник, окно. Дальше — темное пространство и фонарь, тускло освещающий дорогу. Первой тревожное молчание нарушила Лиза.

— Ничего не происходит, — осторожно сказала она.

— Прокрути немного вперед, — попросил Темченко.

— Хорошо.

Лиза включила ускоренный просмотр. Прошло тридцать пять минут записи, а на экране по-прежнему ничего не происходило.

— Наверное, я ошибся, — сказал Темченко. Как показалось Лизе, с облегчением.

— А что вы ожидали там увидеть? — поинтересовалась она.

— Я ожидал...

Вдруг Андрей осекся. Глаза его расширились, губы дрогнули.

— Останови! — хрипло воскликнул он.

Лиза нажала на «паузу» и всмотрелась в экран.

— Возле фонаря кто-то стоит, — неуверенно проговорила она.

— Ты ее тоже видишь?

— Да. Только... я не уверена, что это «она». Запись не очень четкая, видно только силуэт.

— Включи дальше! — взволнованно велел Темченко.

Лиза послушно щелкнула клавишей, и видеозапись ожила. Прошла минута. Другая. Темный силуэт возле фонаря не двигался.

— Странно, — пробормотала Лиза. — Эта женщина... Она ведь совсем не...

Фраза оборвалась, Лиза хрипло вскрикнула. Андрей задрожал, волосы у него на голове приподнялись от ужаса. Женщина, до сих пор абсолютно неподвижная, молниеносно переместилась, и вот уже страшное бледное лицо заглядывало в окно палаты.

— Боже мой!.. — сдавленно вскрикнула Лиза и до боли стиснула ладонь Андрея.

Оба они неотрывно смотрели на экран компьютера. Оба были напуганы и бледны. Между тем страшная женщина пристально всматривалась в полумрак палаты сквозь забрызганное дождевыми каплями стекло. Прошла секунда, другая, и вдруг она исчезла — так же неожиданно, как появилась.

— Где она? — шепотом спросила Лиза, напряженно вглядываясь в экран. — Куда она подевалась?

— Я... не знаю, — так же тихо ответил Андрей.

Оба были уверены, что ужас не закончился, и оказались правы. Таинственная женщина появилась снова, но на этот раз не на улице, а в палате, прямо перед объективом видеокамеры.

Лиза закричала и вскочила на ноги. Андрей дернулся на кровати. Компьютер, лежащий у него на ногах, соскользнул и рухнул на пол.

4

Андрей дрожащими руками поднес к губам стакан с водой и сделал несколько глотков.

— Ты это видела? — спросил он.

— Да, — подтвердила Лиза. — Я дам вам успокоительное.

Голос ее дрожал и звучал глухо.

— Не надо, — сказал он и вернул Лизе стакан. — Главное, что ты это тоже видела.

Она встала со стула, но покачнулась и тут же села снова. Даже в полумраке палаты было видно, как сильно Лиза побледнела.

— Тебе плохо? — спросил Андрей.

— Я... — Она осеклась, повернула голову и внимательно на него посмотрела. — Это какой-то розыгрыш, да? Вы решили меня разыграть?

— Разыграть? — он кисло усмехнулся. — Разве похоже, что я веселюсь?

— Но... этого быть не может.

Она смотрела на него с испугом и с надеждой.

— Не может, — согласился Андрей. — Но ты сама все видела.

— Я просто хочу, чтобы вы мне объяснили.

Темченко понял, что она сейчас заплачет. И тогда он взял себя в руки и сказал мягким голосом:

— Послушай меня, Лиза. Я не знаю, как эта женщина попала в палату. И я напуган не меньше, чем ты. Но мы должны оставаться спокойными и попытаться во всем разобраться. Ты согласна?

— Да, — промямлила она. — Но надо показать кому-нибудь эту запись. Надо ее кому-то показать.

Андрей качнул головой:

— Нет.

— Может быть, Евгению Борисовичу?

— Он решит, что мы над ним издеваемся, что это розыгрыш.

— Но... — Лиза растерянно моргнула. — Кто же тогда поверит? Кому мы можем об этом рассказать?

Несколько секунд Андрей что-то обдумывал, а затем спросил:

— Ты помнишь журналиста, который ко мне приходил?

— Глеба Корсака?

— Да.

— Мы расскажем обо всем ему.

— И он сможет это объяснить?

— Не думаю. Но у него холодный и трезвый ум. Кроме того, он всегда и во всем идет до конца. И если кто-то сможет разобраться в этом кошмаре, то только он.

— Тогда давайте позвоним ему прямо сейчас.

Вдруг Лиза насторожилась. Подняла голову и уставилась в полумрак палаты.

— Что с тобой? — осипшим от испуга голосом спросил Андрей. — Ты снова побледнела.

— Я подумала... — Голос Лизы сорвался на шепот. — Что, если *она все еще здесь?*

Андрей невольно огляделся. В палате никого, кроме них, не было.

— Не думай об этом, — сказал он. — Обещаю тебе, что я во всем разберусь. Подай мне телефон.

Глава 8

●

КУЛЕБОВКА

1

В вагоне было довольно прохладно. Маша, мерзлявая по натуре, накинула на плечи одеяло и заказала себе чай. В остальном же купе было вполне приличное и хорошо знакомое Маше по предыдущим командировкам. Чисто, уютно. Над зеркалом мерцали лампочки индикаторов, сообщающих, свободен санузел или нет, рядом виднелась розетка для подзарядки мобильника.

Устроив на коленях книжку, Маша погрузилась в чтение, запивая прочитанные страницы сладким чаем.

Соседом ее по купе был крепкий розовощекий мужчина с симпатичным лицом. Поздоровавшись и спрятав чемодан под полку, он скинул пиджак, оставшись в голубой рубашке, затем промокнул платком лоб под жесткой щеткой русых волос и весело посмотрел на Машу.

— А мне везет, — лукаво улыбнувшись, сказал он.

— В чем? — не поняла Маша, подняв взгляд от книги.

— Ну, как. Еду в купе с красивой женщиной. Можно сказать — наедине.

— Вряд ли вам это что-то даст, — сказала Маша.

— Ну, хотя бы помечтаю, — улыбнулся он. — Вы не возражаете, если я немного перекушу? С утра на ногах, и ни крошки во рту.

— Не возражаю, — ответила она.

И продолжила чтение. Пару минут мужчина шуршал пакетами, выкладывая на стол еду. Потом снова заговорил.

— Вы москвичка?

Маша опять оторвала взгляд от книги.

— Что?

— Я спрашиваю — вы москвичка?

— Да.

— Говорят, москвичи — заносчивые снобы. Это правда?

— Не думаю. Москвичи разные. Как и киевляне.

Он улыбнулся:

— Есть один хороший анекдот на эту тему. Рассказать?

Маша поняла, что проще смириться, чем оказывать сопротивление, и потому сказала обреченным голосом:

— Ну, расскажите.

— Встречаются как-то два хохла. «Кум, а знаете, нэ вси москали таки погани!» — «Та нэвжэ ж? Назови хоч одного хорошого!» — «Ну, наприклад, Жерар Депардье!»

Мужчина засмеялся. Маша тоже не удержалась от улыбки.

— Вы замужем? — спросил он, отсмеявшись.

— Да.

— Обманываете. Кольца-то нет. Хотя... — Он вздохнул. — Сейчас мало кто их носит. Все корчат из себя независимых и свободных.

Маша взглянула на его руку.

— А вы? Тоже хотите казаться независимым?

— Я вдовец, — сообщил он. — Уже три года. Вас как зовут-то?

— Мария Александровна.

— Маша, значит. Ну, а меня Леня.

— Леонид, значит.

— Угу. — Он развернул фольгу на курице гриль и посмотрел на Машу. — А вы куда? До Днепра?

— Да.

— В гости?

— Да. В Новомосковск. Есть такой город недалеко от Днепра.

— Новик-то? — Леонид улыбнулся. — Знаю. У меня там родичи и кумовья. Угощайтесь курочкой! Купил у вас на вокзале, сказали — вкусная!

— Спасибо.

Маша, не желая тратить энергию на прения, отложила книгу, протянула руку к курице, отщипнула кусочек и отправила в рот.

— Коньячок пьете? — живо поинтересовался Леонид.

— Редко, — ответила Маша.

— У меня хороший! Выпьете со мной, а то не люблю без компании.

Это был не столько вопрос, сколько утверждение. Откуда ни возьмись в руке у Леонида появилась бутылка «Шустова», а потом — два пластиковых стаканчика. Он быстро открыл бутылку и плеснул коньяк в стаканчики.

Маша хотела было возмутиться, но передумала. Ей чертовски захотелось покурить, а идти в холодный тамбур она не отваживалась.

— Послушайте, — предложила она, — давайте я выпью с вами глоток коньяка, чтобы поддержать компанию, а вы разрешите мне покурить. Буквально пару затяжек.

— Так ведь окна не открываются, — удивился Леонид.

— Я знаю один секрет, — сказала Маша, припомнив, как Волохов когда-то давал ей мастер-класс.

— Та нет проблем! — улыбнулся Леонид.

Маша отпила глоток коньяка, который и впрямь оказался неплохим, потом, используя методику Толи Волохова, слегка приоткрыла окно, сделав щель-вытяжку.

— Ловко, — похвалил Леонид, наблюдавший за ней с веселым интересом. — Я не знал, что так можно.

— Никому не говорите, — улыбнулась Маша. — Это секретная технология. И очень рискованная — окно может потом не закрыться.

Пока она курила, Леонид развлек ее еще одним анекдотом про «хохла и москаля», который по степени фееричности не уступал первому.

Рассказав анекдот, Леонид хлопнул ладонью по столу и жизнерадостно захохотал. Маша вежливо улыбнулась. Докурив, она закрыла окно и снова взяла в руки книгу.

— Коньячок-то у вас выдыхается, — напомнил Леонид. — Жалко, если пропадет. Дорогой.

Маша пожала плечами и допила коньяк. Затем снова взяла в руки книгу. Однако Леонид не собирался сдаваться.

— А вы чем занимаетесь по жизни? — поинтересовался он.

— Связями с общественностью, — ответила Маша.

— Надо же! Я тоже! Налить вам еще коньячку?

— Нет, спасибо.

— А чего так?

— Голова побаливает, — сказала Маша.

И не обманула. Она действительно ощущала подступающую мигрень. Переживания последних дней и связанные с ними тяжелые бессонные ночи не прошли даром.

Однако Леонида ее слова не остановили.

— Это не беда, — с улыбкой сказал он. — Давайте так: если я вас вылечу — вы со мной выпьете.

— А, так вы врач? — усмехнулась Маша.

Он покачал головой:

— Нет.

— Экстрасенс?

— Глупое слово. Но, если не найти другого, то и это может сгодиться.

— И как вы лечите? Возложением рук и молитвой?

Он покачал головой:

— Нет, не молитвой. Я воздействую на материю боли.

— Значит, у боли есть материя?

— Все на свете — материя, — добродушно сообщил Леонид. — Но материя бывает разная. Есть более грубые уровни, есть более тонкие. Это все вопросы структуры. Еще болит? — спросил он вдруг.

— Что? — не поняла Маша.

— Голова, — напомнил Леонид.

Она прислушалась к себе и с удивлением обнаружила, что головная боль прошла.

— Надо же, — искренне сказала она. — Я просто забыла про боль, а сейчас выяснилось, что ее больше нет.

Леонид улыбнулся:

— Воздействие на материю боли. Так и должно быть.

Он взял бутылку и плеснул Маше в стаканчик еще коньяка.

— Вы кушайте курочку, кушайте, — сказал он затем. — И на огурчики с помидорчиками налегайте. Дома-то небось овощи редко едите. Все мясо, макароны да разные пиццы.

— Откуда вы знаете?

— Так у вас все на лице написано, — с улыбкой сообщил Леонид.

— То есть лицо у меня круглое, как пицца? — улыбнулась Маша.

— У вас под глазами круги, — пояснил Леонид. — А это все от нездоровой пищи. Ну, и от сигарет, конечно. Бросать надо эту дурную привычку.

— Брошу, — пообещала Маша.

Леонид протянул один стаканчик ей, второй взял сам.

— За то, чтобы ваша поездка в Украину была приятной!

— Угу.

Они чокнулись. Маша отпила пару глотков и вдруг почувствовала руку Леонида на своем бедре. Она строго на него посмотрела и холодно проговорила:

— Вот это уже лишнее.

— Уверены? — уточнил Леонид.

— Да.

Он убрал руку и вздохнул:

— Ладно. Я должен был попробовать.

— Понимаю, — кивнула Маша.

Еще минут двадцать они болтали, как это обычно происходит между попутчиками, оказавшимися в одном купе. Потом Леонид вдруг полез в свой портфель, долго там рылся и наконец извлек из его недр небольшую круглую вещицу.

— Это вам! — объявил он и протянул вещицу Маше.

— Что это?

— Камень-оберег от злых людей. Вы ведь едете в Новомосковск. Там есть один районник — Кулебовка. Если попадете туда, оберег вам может пригодиться.

Маша взглянула на камень. Присмотрелась и вздрогнула. Камень был точным близнецом того камушка, что они обнаружили в кошельке вместе с прядью волос и поначалу приняли его за кукольный глаз.

— Как называется этот камень? — спросила она.

— «Ведьмин глаз», — ответил Леонид.

— Откуда он?

— Из магазина амулетов и оберегов, откуда же еще.

Маша посмотрела на попутчика изучающим взглядом.

— Вы постоянно возите с собой обереги? — подозрительно спросила она.

— Угу, — простодушно кивнул Леонид. — Я ж украинец. А мы верим во всякую чертовщину.

— Русские тоже верят.

— Да. Но не так, как мы. А что до Кулебовки... Слышали когда-нибудь о «киевницах»?

— Нет.

— А об украинских ведьмах?

Маша улыбнулась:

— Только из книг Гоголя. — Она внимательно осмотрела оберег. — Значит, «ведьмин глаз»?

— Ага. Камушек редкий, берегите его.

Маша сжала камень в руке. Он был прохладный и гладкий. Леонид встал с диванчика и принялся застилать постель. Некоторое время Маша наблюдала за ним, а потом спросила:

— Почему именно Кулебовка?

— Что? — не расслышал он.

— Вы сказали, что амулет поможет мне, если я попаду в Кулебовку.

— Да, говорил.

— Что такого странного в этой Кулебовке?

— У этого района... как бы это половчее сказать... плохая репутация.

— В каком смысле?

Он улыбнулся и сообщил — просто, словно говорил о самой обыденной вещи на свете:

— Там живут ведьмы.

— Ясно.

Маша убрала оберег в сумочку, посчитав, что продолжать беседу не имеет смысла. Потом пододвинула к себе стакан с остывшим чаем.

— Уверены, что не хотите заняться сексом? — спросил вдруг Леонид.

Маша поперхнулась чаем.

— Уверена, — сказала она.

— Что ж, ладно. Я должен был спросить. Спокойной ночи.

— Спокойной ночи.

Леонид лег на свою полку, повернулся к Маше спиной и через пару секунд захрапел.

Маша достала из сумочки сигареты и вышла в тамбур.

Однако, едва взяв сигарету в губы, она столкнулась с новой проблемой. Дверь тамбура распахнулась, и резкий женский голос заявил:

— Женщина, в украинских поездах нельзя курить!

Маша обернулась и взглянула на проводницу, приземистую, полную, с красным вздорным лицом.

— Почему?

— Потому что на территории Украины курить в общественных местах запрещено! А поезд — это общественное место!

— Разве? — Маша улыбнулась. — В общественных местах я обычно не сплю. А в поездах — с удовольствием.

— Будете умничать? Сейчас позову милицию, и она выпишет вам штраф. Говорю — здесь нельзя курить!

— А где можно?

— На перроне!

— Так до ближайшей станции полтора часа езды.

— Значит, нужно потерпеть.

— Я только одну затяжку. Пожалуйста.

Маша сделала жалобное лицо. Проводница несколько секунд молчала, потом вздохнула и сказала:

— Ладно, только один раз. Увижу снова — вызову ментов.

Проводница улыбнулась, Маша тоже, но замерла — она готова была поклясться, что черты проводницы на миг изменились, словно по лицу пробежала судорога, как пробегает рябь по воде от брошенного камня.

Маша усмехнулась своей мнительности. Она знала, что выпитый коньяк способен вызывать и не такие оптические иллюзии.

Через пару минут, в последний раз жадно затянувшись сигаретой, Маша затушила тлеющий окурок в пепельнице, привинченной к стене тамбура, и вернулась в вагон.

Она двинулась по коридору, испытывая странное ощущение — словно попала в какую-то иную реальность, где все не то, чем кажется. Странный попутчик, странная проводница. Кулебовка, ведьмы, оберег.

Дверь одного купе, мимо которого проходила Маша, была распахнута.

— Не «на», а «в»! — громко сказал мужской голос.

— Что? — отозвался второй.

— *В* Украину, а не *на*. Это, Сережа, отдельная страна.

— Да я не спорю.

— Я, между прочим, оттуда родом.

— А я вообще родился в Казахстане, а потом двенадцать лет жил в Белоруссии, и че?

— Да ниче. Украина — это тебе... Ты когда-нибудь ел украинское сало? А борщ?

— Не знаю. Наверное, ел.

— Да ни хрена ты не ел. Ресторан «Диканька» не в счет, это все попса. А вот настоящая домашняя украинская кухня... когда украинский бурячок... Эх!..

Маша улыбнулась и пошла дальше, покосившись на двух мужчин в мятых футболках.

— Пожирательница денег! — услышала она, проходя мимо другого открытого купе. — «Тойоту» ей новую подавай... Шубу... Вань, ты знаешь, сколько у нее шуб?

— Нет.

— Четыре! Белая норка, черная норка, золотая норка... Еще какая-то норка... Целое стадо норок! И это только в городе. А на даче знаешь сколько?

— Сколько?

— Еще две! Лисья и песцовая! Сколько зверья положили, чтобы эту гадину удовлетворить. Так ведь ей все мало!

Маша с любопытством в купе заглянула, желая увидеть мужчину, который подарил жене целое «стадо норок». Два богатыря в белых рубашках замолчали при ее появлении, окинули взглядами ее стройную фигуру и приветливо улыбнулись.

Маша прошла дальше, добралась до своего купе и вошла.

Леонид спал как младенец. Маша улеглась на полку и выключила свет. Выпитого алкоголя оказалось достаточно, чтобы опьянеть, но недостаточно, чтобы уснуть, в итоге целый час она прокрутилась с тяжелой головой, прежде чем погрузилась в душный, болезненный сон.

Ей снились ведьмы, тянущие к ней костлявые морщинистые руки.

2

Среди ночи Маша проснулась от острой боли. Оказалось, что «ведьмин камень», который она положила в карман кофты, давил ей на бедро. Она подумала, не переложить ли его в другое место, но решила, что не стоит возиться, и снова погрузилась в сон.

Однако вскоре ее разбудил громкий стук в дверь и свирепый вопль проводницы:

— Граждане, готовим паспорта и миграционки!

Зажегся свет. Поезд стал тормозить. Маша села и протерла глаза.

— Что случилось? — недоуменно спросила она.

— Граница, — отозвался со своей полки Леонид.

Поезд остановился. Маша снова легла, не в силах преодолеть дрему. Дверь распахнулась, и она увидела хрупкую женщину в форменной одежде.

— Здравствуйте! — поприветствовала она их. — Ваши паспорта, пожалуйста!

Маша протянула ей заранее приготовленный паспорт. Та ознакомилась, вернула, затем взяла документы Леонида. Ознакомилась, вернула и закрыла за собой дверь.

Маша опустила голову на подушку и снова уснула. Однако вскоре все повторилось. Свет, остановка, громкий окрик проводницы:

— Граждане, готовим паспорта и миграционки!

Маша села на полке и растерянно спросила:

— Как? Опять?

— То была русская граница, а теперь украинская, — объяснил ей Леонид.

— Ясно.

Дверь распахнулась, и на пороге купе показался рослый украинский пограничник.

— Добрий вэчер! — пробасил он. — Ваши документы, будь ласка!

Леонид сунул ему в руки паспорт. Тот раскрыл, глянул, закрыл, вернул обратно. Перевел взгляд на Машу. Она протянула пограничнику свой паспорт. Он раскрыл, посмотрел.

— Цель поездки в Украину? — поинтересовался пограничник и исподволь скользнул взглядом по ее груди, обтянутой тонкой футболкой.

— Еду в гости, — ответила Маша и натянула простыню до шеи.

— Живете в Москве?

— Да.

— А работаете где?

— А это важно?

— Нет. Счастливого пути!

Пограничник улыбнулся и вернул ей документы.

— Уф-ф... — облегченно вздохнула Маша, когда он ушел.

— Не любите пограничников? — насмешливо осведомился Леонид.

— Не люблю, когда незнакомые мужчины смотрят на меня среди ночи — до того как я успела привести себя в порядок.

— А когда смотрят знакомые — любите?

Маша хмыкнула:

— Тоже нет.

— Это еще не все. Сейчас будет таможня.

Едва Леонид это сказал, как дверь купе снова распахнулась и на пороге появился новый персонаж — упитанный дядя с добродушным лицом и колючими глазками.

— Таможенный досмотр, — представился он. — У вас какое гражданство? — обратился он к Леониду.

— Украинец я, — сообщил ему тот.

Таможенник повернулся к Маше.

— А у вас?

— Российское, — ответила она.

Глаза таможенника заинтересованно блеснули.

— Что везете? — сухо осведомился он.

— Ничего, кроме личных вещей.

— Хорошо. Полочку приподнимите, пожалуйста.

Маша нехотя встала с полки, думая только о том, как смешно она сейчас выглядит — с растрепанными волосами, припухшим лицом, да еще и в нелепо задравшихся лосинах, из которых торчат босые ступни с ногтями, лак на которых не мешало бы подновить.

Она подняла полку. Таможенник заглянул в локер и сказал:

— Достаньте, пожалуйста, сумочку.

Маша подчинилась. Таможенник подождал, пока она водрузит сумку на полку, а затем быстро ощупал ее бока.

— Что тут? — спросил он, наткнувшись пальцами на что-то твердое.

— Не помню, — честно призналась Маша.

— Откройте, пожалуйста, сумочку.

— А это обязательно?

— Обязательно.

Маша нахмурилась и расстегнула молнию. Таможенник запустил руки внутрь, несколько секунд рылся там, вороша нижнее белье и гигиенические прокладки, после чего извлек наружу черный пистолет и, изумленно вскинув брови, воскликнул:

— Оружие! Вот так так!

Он выглянул из купе и окликнул кого-то:

— Микола, поди сюды! Та не шокай, а иди!

Затем перевел взгляд на Машу.

— Это ваш пистолет?

— Нет, — растерянно ответила она. — То есть...

И вдруг она все поняла.

«Волохов! — с досадой подумала она. — Балбес непроходимый!» Должно быть, Толик сунул ей в сумку пистолет, пока она надевала плащ.

— Это травматика, — сказала Маша таможеннику.

Он усмехнулся:

— Я понял. У вас есть разрешение?

— Боюсь, что нет.

— И, конечно, вы его не задекларировали?

— Конечно, нет. Я не знала, что он у меня есть.

Таможенник и Леонид переглянулись. Возле двери появился еще один мужик, длинный и сухой, как палка.

— Вот, дывись! — Первый показал второму пистолет. — Кажет, шо травматика! Составляем протокольчик?

— Так, — отозвался худой таможенник.

Приземистый посмотрел на Машу.

— Вам придется пройти с нами, — сказал он.

— Я сотрудник российской полиции, — представилась Маша. Она достала из сумочки удостоверение и протянула таможеннику. — Вот документ.

Приземистый взял удостоверение, ознакомился с ним, показал коллеге, затем снова взглянул на нее и сказал:

— Майор, значит? Что ж вы нарушаете, Мария Александровна? А еще полицейский. Законов не знаете?

— Так получилось. Я понимаю, как глупо это звучит, но... — Маша развела руками. — Послушайте, я правда не знала, что у меня в сумке травматический пистолет. Один мой коллега, очень заботливый, я бы даже сказала — трепетный человек положил мне его для самозащиты.

— Он что, не знал, что вы едете за границу?

— Знал, но... — Маша растерянно улыбнулась. — Это же Украина. В России многие до сих пор не воспринимают ее как отдельную страну. Ну, как будто это «ненастоящая» заграница.

Таможенники хмуро переглянулись.

— И очень зря, — сказал тот, что был повыше.

Маша заметила, что слова о «ненастоящей» загранице сильно задели их, и пожалела о том, что сказала.

— Ладно, — проговорил вдруг Леонид, все это время сидевший молча. — Пора заканчивать эту сумятицу.

Он тоже достал удостоверение и показал его таможенникам.

— Служба безопасности Украины, — жестко произнес он. — Полагаю, инцидент исчерпан?

— Даже не знаю... — с сомнением протянул упитанный.

Леонид достал визитную карточку.

— Вот моя визитка, — веско и спокойно произнес он. — Можете позвонить в отдел СБУ. Спросите полковника Доценко. Только не забудьте представиться. Подобные звонки приводят его в ярость, и я не хочу, чтобы дерьмо вылилось на голову мне одному. Ваши головы для этого больше годятся — они моложе и трезвее.

Таможенники переглянулись.

— А что с травматикой? — спросил худощавый. — Мы должны ее изъять.

— Хотите сделать все официально? — Леонид усмехнулся. — Валяйте. Ненавижу разборки между ведомствами, они отнимают много нервов. Но если у вас куча времени и сил — бросайтесь в схватку, и желаю вам удачи!

Худой таможенник наклонился к приземистому и что-то сказал ему на ухо. Тот кивнул, повернулся к Маше и сказал:

— Приятного пути.

После чего оба вышли из купе и задвинули за собой дверь. Маша взглянула на Леонида.

— Так вы — сотрудник Службы безопасности?

Он кивнул:

— Да.

— Никогда бы не подумала.

— Я хорошо шифруюсь.

— Это точно. — Маша хмыкнула. — Коньяк, байки, обереги, заигрывания...

Леонид усмехнулся.

— Могу же я хотя бы в поезде побыть обычным мужиком.

— Да уж. — Она посмотрела на него с любопытством. Как это она раньше не заметила этот жесткий взгляд и твердую линию губ?

— Почему ж вы раньше молчали? — спросила она.

— Не люблю афишировать.

Леонид взял со столика ее сотовый телефон и стал набирать номер.

— Что вы делаете? — нахмурилась Маша.

— Вбиваю свой номер телефона. Вдруг пригодится.

Леонид нажал на кнопку вызова. Где-то в недрах его пиджака заиграла музыка.

— Ну, вот. — Он улыбнулся, отключил связь и положил мобильник Маши обратно на стол. — Теперь я знаю ваш номер, а вы — мой. Будут проблемы — звоните. И не размахивайте на улице своей травматикой, если не хотите международного скандала.

— Хотите, подарю его вам?

Он усмехнулся и покачал головой:

— Нет, не хочу. Слушайте, Маша, а что, если мы встретимся в Днепропетровске или Новомосковске и сходим вместе поужинать?

Маша прищурилась.

— Опять вы за свое?

Он примирительно поднял руку:

— Просто поужинаем. Без домогательств. Обещаю.

— Поживем — увидим, — уклончиво сказала она. — А теперь давайте спать.

Он кивнул и протянул руку к выключателю.

— Спокойной ночи, Мария Александровна!

— Спокойной ночи, Леонид!

Свет в купе погас.

3

Новомосковск оказался довольно уютным городком с изобилием маленьких магазинчиков и кофеен. Маша выбралась из автобуса на центральной площади, украшенной памятником-самолетом «МиГ-21», стоявшим здесь, должно быть, еще со времен Великой Отечественной. Показала какому-то прохожему листок с адресом.

— Дом десять... — задумчиво протянул тот. Огляделся, почесал затылок и сказал: — Ну, это совсем рядом. Перейдете дорогу и во дворы. Там будут желтые сталинские четырехэтажки, обшарпанные такие. Свернете направо и увидите водонапорную башню из красного кирпича. Десятый дом как раз рядом с ней.

Маша поблагодарила прохожего и отправилась в путь, который занял у нее не больше пяти минут. Во дворе десятого дома за деревянным столом сидели мужчины и играли в домино. Маша прошла до крайнего подъезда. Железная дверь с кодовым замком была приоткрыта. Она сочла это хорошим знаком и вошла в подъезд.

Нужная квартира располагалась на первом этаже. Маша нажала на звонок, подождала немного, снова нажала. Ей никто не открыл. Чувствуя досаду («а вдруг там сейчас вообще никто не живет?»), она вышла во двор и, немного поколебавшись, подошла к мужчинам, играющим в домино. Они все были среднего возраста, с обветренными лицами, в потертых куртках. Под столом она увидела большой тетрапак с томатным соком и початую литровку водки, на горлышко которой было надето несколько прозрачных пластиковых стаканчиков.

— Здравствуйте! — поприветствовала она игроков. — Мне нужен Алексей Богданович Паскевич. Вы его знаете?

Четыре пары глаза ощупали ее с ног до головы. Ближайший мужик, худой, красноглазый и подвыпивший, усмехнулся и хрипло проговорил:

— Гляди, Леха, какая краля тобой интересуется.

— У нашего Богданыча тайная жизнь! — сказал второй.

Игроки беззлобно засмеялись, не переставая нагло пялиться Машу.

— Цыц! — рявкнул на всех самый пожилой из них, худой, в затертой до желтых пятен джинсовой куртке и в кожаной растрескавшейся кепке, натянутой на морщинистый лоб.

Он глянул на Машу снизу вверх и сипло произнес:

— Я Паскевич. А ты кто такая будешь?

— Меня зовут Мария Александровна Любимова. Я журналистка. Хотела бы поговорить о вашей дочери.

Дряблые веки чуть сощурились.

— Моей дочери нет, — тем же сиплым, резким голосом проговорил Паскевич. — Она сгинула. Много лет назад. — Он облизнул губы, ухмыльнулся и добавил едко: — Туда ей и дорога.

— Дурак ты, Богданыч, — насмешливо протянул один из игроков. — Краля с тобой побалакать желает, а ты ее отшиваешь.

— Присаживайтесь к нам, дамочка!

— Давай, жинка, сядай коло мэнэ!

Мужчины снова засмеялись. Не смеялся только Паскевич. Он встал со скамьи и коротко бросил:

— Пошли!

— Куда? — спросила Маша.

— В хату. Не на улице же нам говорить.

Он зашагал к подъезду. Маша последовала за ним.

В квартире он не пустил ее дальше кухни. Усадил на расшатанный стул и сказал:

— Хочешь говорить? Тебе это будет стоить.

— Стоить?

— Да. Время — деньги. Слышала про такое?

Маша достала кошелек, вынула из него пятисотрублевку и положила на стол.

— Рубли? — приподнял брови Паскевич и зорко взглянул на нее. — Так ты из России?

— Да. У меня мало гривен. Если не подойдет...

Он сгреб со столещницы купюру и сунул ее в нагрудный карман джинсовки.

— Я не видел Светку много лет. Небось до сих пор по мужикам шлендается, подстилка шоферская.

— Ваша дочь умерла, — сказала Маша.

Морщинистое коричневое лицо дрогнуло.

— Когда? — сипло уточнил Паскевич.

— Два дня назад. Не уверена, что вы знаете — последние несколько лет она была монахиней.

— Монахиней? — Он усмехнулся узкими губами. — А ты ее, часом, ни с кем не путаешь?

— Алексей Богданович, я не шучу и ничего не путаю. И я... я вам очень соболезную.

Они помолчали. Паскевич тяжело вздохнул и проговорил:

— Значит, панночка помэрла.

— Что?

— Присказка у нас такая есть, в Украине, — панночка помэрла. Ты пьешь?

— Что?

— Горилку, говорю, пьешь?

— Водку?

— Водка это у вас в Московии. А у нас горилка. Так пьешь или нет?

— Иногда.

— Тогда и со мной выпьешь. За упокой души моей дочки Светки.

Алексей Богданович повернулся к старенькому холодильнику, открыл дверцу и достал литровую банку с какой-то бесцветной жидкостью. Поставил на стол и сказал, заметив замешательство на лице Маши.

— Не бойся, горилка гарная.

Он поставил на стол стаканы, открыл банку. Маша с беспокойством смотрела, как он разливает самогонку по стаканам. Но отказаться выпить «на помин души» не могла.

— Ну, давай, что ли?

Он поднял свой стакан, Маша — свой.

— Земля ей будет пухом, — сказал Паскевич и опрокинул содержимое стакана в рот.

Маша собралась с духом и тоже немного отпила. Вопреки ожиданию самогонка оказалась чистой и вполне приличной (если, конечно, слово «прилично» может относиться к самогону).

— Пей до дна, не бойся.

Маша отпила еще один маленький глоток. Поставила стакан на стол, взяла горбушку хлеба, откусила кусочек и тщательно его разжевала.

— Так, — ухмыльнулся Паскевич. — Ну, а теперь спрашивай.

— Алексей Богданович, когда Светлана покинула ваш город и уехала в Москву?

— Годков пятнадцать тому назад.

— Это точно?

— А тебе надо совсем точно?

— Хотелось бы.

— Гм... — Он поскреб ногтями морщинистую, плохо выбритую щеку. — Дай-ка припомнить... Из училища ее вышибли в девяносто третьем. А на следующий год она уехала.

— Значит... девятнадцать лет назад?

— Выходит, что так. А ты почему интересуешься?

— Мы пытаемся разобраться в ее... гибели.

Взгляд его потяжелел, стал подозрительным.

— Так ее убили? Как именно она умерла?

— Покончила жизнь самоубийством.

— Удавилась, что ли?

— Да, — солгала Маша. — И мы считаем, что это может быть связано с ее прошлой жизнью. По крайней мере, у нас есть такая версия.

— Версия, говоришь? К-хех, — усмехнулся Паскевич. — Ну-ну.

Он снова взял банку и плеснул себе самогона. Предложил жестом Маше, но она отрицательно покачала головой. Паскевич выпил, вытер рот большой мозолистой кистью. Прищурился на Машу.

— Ну? И что там дальше по твоей версии?

— Девятнадцать лет назад Светлана уехала в Москву, правильно?

— Так.

— Зачем?

— На заработки.

— И чем она занималась в Москве?

— А чем, по-твоему, она могла там заниматься? Москалей ублажала.

— Ублажала?.. В смысле...

— В том самом смысле, — мрачно подтвердил Паскевич. — Распутничала за деньги.

— То есть она...

— Погоди. Дай еще выпью. Растревожила ты мне душу, Мария Александровна.

Паскевич снова налил и выпил. Занюхал крохотным кусочком засохшей колбасы, лежащим на блюдце, после чего положил его обратно.

— Подалась моя Светка в Москву на промысел, — снова заговорил он. — Хорошо хоть мать не дожила.

— У Светланы был ребенок?

— Был. Но недолго. Светка прижила его не знамо от кого. Прожил мальчонка всего неделю. Плохонький родился, больной. Что-то там с сердцем. Светка его схоронила да и подалась в Москву разгонять тоску.

— Она поехала одна?

— Сперва одна. А через год и подругу свою утянула: девчонку с Кулебовки, они вместе танцами занимались.

Маша вся подобралась, как охотничья собака, почуявшая добычу.

— А как звали ту девушку, вы не помните?

Алексей Богданович на несколько секунд задумался, потом покачал головой:

— Точно не помню. Но, кажись, Катька. Светка ее домой к нам никогда не приводила. Знала, что я рассержусь.

— А почему вы должны были рассердиться?

— Потому что та девчонка из Кулебовки.

Паскевич снова взялся за банку с горилкой. Маша насторожилась еще больше, но не стала перебивать, предпочитая, чтобы Алексей Богданович продолжал сам. И он продолжил, выпив водки и вытерев губы ладонью.

— Одна кулебовская ведьма мою жену на тот свет спровадила. Светке тогда и двух лет не было. С тех пор ни одна тамошняя сука порог моего дома не переступала. — Паскевич неловко перекрестил-ся. — Упаси, Господь! — и для верности сплюнул через левое плечо.

— Вы растили и воспитывали дочку сами? — спросила Маша.

— Какое там, — махнул рукой Алексей Богдано-вич. — Она все больше по соседям. Я вкалывал на нашем трубном — от зари до зари. Он мои легкие и сожрал с потрохами.

Паскевич закашлялся, как бы в подтверждение своих слов. Маша решила, что «трубный» — это, ве-роятно, трубный завод.

— Давай-ка, Марья Лександровна, выпей-ка со мной — мне пить одному опять тоскливо.

— У меня еще есть, — сказала Маша и взялась за свой стакан. — Значит, Светлана переманила подру-гу Катю в Москву.

— Точно, — кивнул Паскевич. — Ее мать ко мне как-то приходила. Кулебовская повитуха. Настоящая ведьма!

— Зачем она к вам приходила?

— Про дочку свою расспрашивала.

— Про Катю?

— Угу.

— Когда это было?

— Давно. Вскоре после того, как Светка ее на за-работки с собой в Москву забрала.

— И что вы ей ответили?

— Ничего. Откуда мне знать, куда ее дочка за-пропастилась? Моя вот тоже много лет назад пропа-ла, так что теперь — всю Москву на уши подымать?

Маша попыталась обнаружить логику в словах собеседника, но не смогла.

— Эта женщина, мать пропавшей Кати, еще жива?

— Пупорезка с Кулебовки? — Алексей Богданович хмыкнул. — А кто ж ее знает? Может, жива, а может, померла. Времени-то много прошло.

— А фамилию повитухи вы не помните?

Паскевич задумался ненадолго, потом с сомнением произнес:

— Кажись, Суховей.

— А адрес? Где она жила?

— Адрес не помню, но если она жива, и все еще в Кулебовке, то найти ее легко. Она ж повитуха, в былые-то времена у половины здешних баб детей приняла. Хотя какие они теперь бабы? Старухи все.

Маша достала из сумки лист бумаги с отпринтованным портретом, раскрыла его и положила на стол перед Алексеем Богдановичем.

— Посмотрите, пожалуйста. Вам не знакомо это лицо?

Старик склонился над портретом.

— Боже ж ты мой... — тихо проговорил он. — Это ж пупорезка с Кулебовки!

— Повитуха Суховей? — удивленно уточнила Маша.

— Похожа, — с сомнением произнес старик Паскевич. — Но повитуха была старше и толще. А кто это? — вскинул он на Машу взгляд. — Уж не дочка ли ейная?

— Может быть. Мы это выясняем.

Она убрала портрет обратно в сумку.

— Как добраться до Кулебовки? — спросила она.

— Можешь от автовокзала. А можешь от почты.

— А откуда ближе?

— От почты. Это недалеко, как выйдешь к дороге, так сразу увидишь. Там рядом остановка. Дождись автобуса — девятый или одиннадцатый номер, да и езжай.

— Ясно. Спасибо.

— Нэма за шо. А ты, стало быть, на Кулебовку собралась?

— Да. Хочу найти Катю или ее мать.

— Что ж, езжай. Вернешься — хорошо. А не вернешься — выпью за упокой твоей души. Как за Светку свою сегодня выпил. Твое здоровье, милая!

И он снова опрокинул в рот горилку из стакана.

* * *

Остановку Маша нашла не без труда.

— Простите, — обратилась она к женщине, сидевшей на лавочке. — Отсюда идет автобус на Кулебовку?

— Так, — ответила та. — Только не скоро будет, минут через двадцать. — Женщина оглядела Машу с ног до головы. — А вы к кому-то в гости?

— Нет. То есть да. Вы тоже там живете?

Женщина покачала головой:

— Ни. Жила когда-то. Но лет десять назад в город перебралась.

— А разве Кулебовка — это не часть города?

— Часть. — Женщина улыбнулась. — Но Кулебовка большая. Я жила в той части, что со стороны

257

Днепра. Район там тихий, люди обитают мирные. Но не везде. Про «Шанхай» слыхали?

— Нет.

Собеседница вздохнула:

— В Кулебовке много цыганчи. Особенно в той части, которая ближе к центру Новомосковска, там их видимо-невидимо. Местечко, где они живут, называют «Шанхай», и туда лучше не ходить даже днем и под охраной.

— Что, такие опасные? — уточнила Маша.

— Не то чтоб опасные. Цыгане живут отдельно, вроде как единой общиной. Чужаков не любят, тогруют наркотой и воруют, но по окрестностям не шарятся. О, а вон и твой автобус! Тормози, а то мимо проедет!

Маша увидела приближающийся автобус и подняла руку. Автобус остановился. Забираясь в салон, Маша чувствовала, что женщина пристально смотрит ей в спину.

Пассажиров в автобусе было мало. Маша расплатилась с водителем и села на первое же свободное место. Глянула в окно и поморщилась. К стеклу присохла раздавленная белая ночная бабочка. Маша пересела на другое место.

4

На первый взгляд в Кулебовке не было ничего страшного. Район был похож на обычный советский южнорусский поселок. Уютные дома, огороженные аккуратными заборчиками, много зелени.

Только хмурое небо и влажный и вязкий воздух портили впечатление, придавая всему мрачноватый, если не сказать зловещий облик.

На скамейке перед крашенным в зеленый цвет заборчиком сидели две старушки в платках. Они внимательно смотрели на приближающуюся Машу. Должно быть, она — тонкая, темноглазая, белокурая, в светлом плащике «Барберри» и воздушном шарфике «Эрмес» — казалась им каким-то пришельцем из другого — неизвестного, а значит, опасного мира.

Маша прекрасно сознавала свою неуместность в здешнем пейзаже, поэтому обратилась к старушкам максимально вежливо и скромно, с доброжелательной улыбкой на губах.

— Добрый день! Простите, что беспокою. Мне нужна женщина по фамилии Суховей. Она здесь когда-то была повитухой.

Несколько секунд старушки не произносили ни слова, глядя на Машу так, как благопристойные прихожанки деревенской церкви смотрят на заезжую столичную кокотку, только что высадившуюся из золоченой кареты. Затем одна из них разжала морщинистые губы и сипло прокаркала:

— Мы ничего нэ розумиим. Проходьте повз!

— Но она должна быть вашей ровесницей, — с вежливой настойчивостью проговорила Маша. — Постарайтесь вспомнить. Фамилия — Суховей.

— Ты оглохла, чи що? — внезапно рассердилась вторая старуха. — Иды звитсы, покы палкой не огрила!

Для пущей наглядности бабка слегка приподняла свою трость немощной рукой.

— Извините, — сказала Маша, развернулась и пошла по улице дальше.

Пройдя метров двадцать, она увидела девочку лет восьми на велосипеде. Девочка улыбнулась ей и спросила:

— Тетенька, вы кого-то ищете?

— Да. Мне нужна бабушка по фамилии Суховей. Знаешь ее?

— Мать? — с улыбкой уточнила девочка.

Маша озадаченно нахмурилась.

— Почему мать?

— Ее все тут так называют. У нее дом на «Шанхае», а в доме — община.

— Община?

— Да. «Таемни киевницы». Туда много женщин ходит, и наших и приезжих. А вы тоже «киевница»?

Скрипнула калитка частного дома, и к асфальтовой дорожке подошла высокая хмурая женщина.

— Ты чего пристала к тете? — сердито сказала она девочке.

— Я не пристала, — отозвалась та. — Тетя ищет киевниц и Мать.

Женщина глянула на Машу недовольным взглядом и резко проговорила:

— Не знаем мы никаких «киевниц».

— Но ваша дочка...

— Тоже выдумала — киевницы! — Женщина хлопнула девочку ладонью по затылку. — Придем домой — я тебе таких киевниц покажу! А ну — кати к дому! Швыдче!

Девочка посмотрела на Машу большими черными глазами и сказала:

— До свиданья, тетя!

— До свидания, девочка! — в тон ей ответила Маша.

Она зашагала дальше. Пройдя метров десять, не выдержала и обернулась. Девочка и ее мать пристально и молча смотрели ей вслед. Маша передернула плечами, отвернулась и ускорила шаг.

— Заблудилась, милая? — услышала она женский голос с характерным акцентом. — Потерялась, заплутала? Дорогу показать?

Молодая цыганка нагнала Машу и легонько дернула ее за рукав плаща. Цыганка была очень смуглая, в цветастой юбке и теплой зеленой кофте.

— Я...

— Вижу, заблудилась, в жизни запуталась! — белозубо улыбнулась цыганка. — Но все можно распутать! Дай руку — погадаю, пути укажу!

— Мне нужна Мать и община таемних киевниц, — сказала Маша. — Вы знаете, как их найти?

Улыбка испарилась со смуглого лица гадалки.

— Не ходи к ним, — сказала она напряженным голосом.

— Так вы знаете, где их искать?

— Ту ман шунэса! — яростно произнесла цыганка. — Плохое там! Злое там! Дава тукэ миро лаф!

Цыганка сплюнула через плечо и прочертила в воздухе быстрый знак-оберег — словно рассекла пальцем его на части.

Маша не удержалась от усмешки.

— Вижу, вы их не любите, — сказала она. — Или боитесь?

Цыганка пристально посмотрела ей в глаза.

— Хочешь к киевницам? Мишто явьян! Вон их дом! Кто входит — никогда не выходит!

Она вскинула смуглую руку, обвешанную браслетами, и указала на двухэтажный серый дом, стоящий немного на отшибе от остальных строений.

— Вы с ними не враждуете? — спросила Маша.

— Враждуем? — Цыганка запрокинула голову и рассмеялась. — Джюкел джюклес на хала! — со смехом сказала он. — Собака собаку просто так не кусает!

Цыганка смахнула с глаз выступившие слезы и спросила:

— Хочешь стать одной из них?

— Возможно, — уклончиво ответила Маша.

По лицу цыганки пробежала тень.

— Воля твоя, — отчеканила она. — Но потом не жалуйся. Тэ скарин ман дэвэл!

— Дэвэл? — подняла брови Маша. И уточнила: — Дэвэл — это дьявол?

Цыганка вновь засмеялась и погрозила ей пальцем. Потом развернулась и торопливо зашагала прочь, время от времени оглядываясь на Машу, шепча что-то себе под нос и черта рукой знаки-обереги. Потом свернула за кирпичный магазинчик с вывеской «Крамниця» и скрылась с глаз.

Маша посмотрела на серый дом. Темная туча висела над ним так низко, что, казалось, крыша его вот-вот прогнется под ее тяжестью. Порыв ветра качнул деревья, смахнул с переполненной урны пластиковый пакет и со зловещим шуршанием проволок его по бетонной дорожке. На лицо Маше упали колкие капли начинающегося дождя.

Она поежилась. После странной реакции здешних людей и жутких слов цыганки уверенности в своих силах у Маши поубавилось. На одном из фонарных столбов она увидела болтающийся на ветру рекламный листок. Непонятно почему, но листок привлек Машино внимание, и она подошла к нему.

ВНИМАНИЕ! ТОЛЬКО ДЛЯ ЖЕНЩИН!

Община «Таемни киевницы» приглашает всех женщин на сакральные женские тренинги! Наши тренинги — это встреча женщин в Кругу Жизни. Встреча с собой, своим телом, своей душой, слушание себя и восполнение жизненной энергии путем воссоединения с мудростью природы и энергиями стихий!

Долги и нерешенные проблемы не дают вам двигаться к новым целям? Тогда этот тренинг для вас!

Этот тренинг-сказка запускает мощную трансформационную программу, которая позволит вам спокойно отпустить все отжившее и ненужное из вашей жизни. Легко простившись с этим, вы сможете увеличить свою Женскую Силу, освободить сакральную энергию и создать себе новую жизнь, наполненную УСПЕХОМ, ГАРМОНИЕЙ И ЛЮБОВЬЮ!

В нашем тренинге объединены идеи и методы индийского мистика Ошо, Кастанеды, психологии, терапии, биоэнергетики, технологий нового настоящего, а также шаманские и исконно славянские ритуалы, проводимые Матерью! Хотите стать Ведающей? Тогда этот тренинг для вас!

Этот курс позволит тебе:

* Увеличить ЖЕНСКУЮ МАГИЧЕСКУЮ СИЛУ (силу притяжения желаемого);

* Открыть в себе скрытые способности;

* Притянуть материальные блага;

* Пробудить свою интуицию;

* Гармонизировать женскую и мужскую энергии;

* Понять себя, найти СВОЙ источник личной силы и стать ЦЕЛОСТНОЙ.

ДОБРО ПОЖАЛОВАТЬ К НАМ НА ТРЕНИНГИ!

Маша отвела взгляд, не дочитав эту ахинею до конца. Заигрывать со злом с ясной, невинной улыбкой на губах — это, по ее мнению, было верхом кощунства, лицемерия или идиотизма.

Она зашагала к серому дому, но вдруг остановилась, заметив возле него милицейскую машину. Не зная, что предпринять, Маша достала из сумочки сигареты и закурила.

Когда она докурила сигарету до половины, тяжелая железная дверь открылась, и на улицу вышел высокий мужчина в штатском. Вид у него был крайне недовольный. Не глядя по сторонам, он яростно сплюнул себе под ноги, прошел к автомобилю и быстро забрался на заднее сиденье. Милицейская машина тронулась с места, свернула на дорогу и помчалась прочь, набирая скорость.

Маша бросила окурок в железную урну и, зябко поеживаясь от ветра, приблизилась к дому. Она остановилась у стальной двери, протянула руку и, секунду поколебавшись, нажала на кнопку. Звонок трижды мелодично прокурлыкал, прежде чем она услышала хрип домофона.

— Кто там? — осведомился женский голос из динамика.

— Меня зовут Мария Любимова. Я журналистка из Москвы. Хочу написать статью про вашу общину.

Маша сказала первое, что пришло в голову.

— Мы не ждем журналистов, — произнес голос из динамика.

— Я знаю. Но в России многие женщины интересуются вашим... движением.

«Движением? — Маша поморщилась. — Не перегнула ли я палку?»

Пару секунд ответа не было.

— Подождите, я посоветуюсь с сестрами, — прозвучало наконец.

Затем что-то зашуршало и наступила полная тишина. Только нарастающий ветер шевелил ветви деревьев и гудел в черных проводах, нависающих над головой.

— Входите!

Раздался легкий щелчок, затем тяжелая стальная дверь с тихим писком приоткрылась.

Маша взялась за ручку и распахнула ее. В лицо ей, вопреки ожиданию, повеяло еще большим холодом, чем на улице. Но, вполне возможно, что ощущение это было надуманным — дурным порождением разыгравшейся фантазии и напряженных нервов.

Молодая женщина, встретившая Машу, была хороша собой. Высокая, худощавая, с черными глазами и черными волосами, стянутыми сзади в пучок. Одета она была в модную кофточку и юбку.

Женщина оглядела Машу быстрым цепким взглядом. Поначалу лицо ее показалось Любимовой строгим и неприязненным, но, как только она улыбнулась, это ощущение прошло.

— Добрый день! — поприветствовала брюнетка гостью и протянула ей руку. — Елена Аминова, — представилась она. — Помощница нашей руководительницы.

Рукопожатие у Елены было крепким, а ладонь — теплой и сухой.

— Простите, если покажусь грубой, — снова заговорила Елена, — но не могли бы вы продемонстрировать ваше журналистское удостоверение?

— Да, конечно.

Маша сунула руку в сумочку, моля Бога о том, чтобы фальшивое удостоверение, которое ей сделал когда-то Глеб Корсак и которым она не пользовалась уже больше года, оказалось там. На этот раз Маше повезло.

— Вот, держите!

Она протянула фальшивое удостоверение Елене.

— Журнал «Красота и здоровье»? — приподняла та брови.

— Да. А также я пишу для журнала «Караван историй», но уже как внештатный автор.

— Понятно. — Елена посмотрела на дату. — Оно просрочено на полтора месяца.

— Знаю. — Маша виновато улыбнулась. — Все нет времени продлить. Разъезды, командировки.

— Понимаю. — Елена закрыла удостоверение и вернула его Маше. — Почему вы не позвонили перед тем, как приехать?

— Я звонила, — соврала Маша. — Но трубку никто не брал.

— Что ж... — задумчиво протянула Елена. — Может быть. В последние дни у нас тут страшная суета. О чем будет ваша статья, и как вы узнали о нашей общине?

— Об общине я узнала от знакомых. Моя мама родом из Новомосковска, и у нас тут много друзей и родственников. А статья будет... с феминистским уклоном. Предыдущая была про панк-группу «Пусси Райт», эта будет примерно в том же ключе.

Елена прищурилась.

— Вы позволяете себе критиковать Московскую Патриархию? — с удивлением уточнила она.

— Только в рамках приличия и гражданской позиции, — ответила Маша. — Я бы хотела задать несколько вопросов госпоже Суховей. Можно?

— Госпоже Суховей? — Елена улыбнулась. — У нас так ее никто не называет. Мы зовет ее просто — Мать. Ведь все мы здесь одна семья. Но что же мы стоим в дверях? — внезапно встрепенулась Аминова. — Проходите внутрь! Посмотрите, как мы живем и трудимся!

Они прошли по широкому коридору, похожему на холл, навстречу им попадались женщины — в основном молодые. Они с хмурым любопытством смотрели на Машу, но, встретившись с ней взглядами, тут же отводили глаза. Некоторые из них казались заплаканными.

— Они расстроены, — сказала Елена, словно прочитав мысли Маши. — Мы все переживаем за Мать. Она тяжело больна.

— Что с ней?

— Трудно сказать, — уклончиво ответила спутница Маши.

— Почему она не в больнице?

— Здесь у нее есть все, что нужно. Включая врачей.

Маша уловила большое разнообразие запахов. В доме пахло лекарствами, благовониями и травами — сушеными и жжеными.

— У вас есть фотоаппарат? — спросила Елена.

— Нет.

— Это хорошо. Мы не любим, когда нас фотографируют.

Они остановились возле белой филенчатой двери с тяжелой кованой ручкой. Елена распахнула дверь и посторонилась, давая Маше войти.

Они оказались в просторной полутемной комнате, уставленной старинной резной мебелью в славянском стиле. Окна были зашторены, горело лишь несколько настольных ламп со стеклянными матовыми плафонами в виде цветов.

— Присаживайтесь, Мария!

Елена указала ей на мягкий диванчик с деревянными резными ручками. Подождала, пока гостья сядет, потом села сама.

— Давайте побеседуем. Вы не против?

— Нет.

— Можете задавать свои вопросы, — с улыбкой предложила Елена.

Маша замялась. Она знала, как вести допросы, но не знала, как брать интервью. Ее собеседница производила впечатление умной женщины и, несомненно, была не такой простой, какой хотела казаться.

— Даже не знаю, с чего начать... — Маша улыбнулась. — Возможно, некоторые мои вопросы покажутся вам банальными или даже обидными...

— Мы привыкли к любым вопросам, — сказала Елена.

— Хорошо. Я видела, как от вашего здания уезжала милицейская машина...

Елена сжала губы, лицо ее на миг потемнело.

269

— Я спрашиваю только потому, что не хочу доставить лишних проблем ни вам, ни нашей редакции, — поспешно добавила Маша.

— Что вы — никаких проблем, — снова улыбнулась Елена. — У нас в районе кое-что случилось. Теперь милиция опрашивает жителей.

— А что произошло?

— Пропала девушка. Она была беременна.

— Была?

Елена пожала плечами:

— Девушка пропала несколько дней назад. Мало кто верит в то, что бедняжка еще жива.

— То есть вы думаете, что ее...

Маша не завершила фразу, но этого и не требовалось.

— В нашем районе живут не только хорошие и мирные люди, — сказала Елена. — Это только с виду у нас тут тишь да гладь. Но некоторым личностям не нравится работать и жить, как живут другие, им хочется всего и сразу. И на пути к деньгам они не брезгуют ничем.

— Вы говорите про цыган? Мне кто-то говорил, что их здесь много.

Елена усмехнулась.

— Я не имею ничего против цыганской нации. Но здешние ромалы торгуют наркотиками. А от наркотиков до торговли человеческими органами всего один шаг.

— Да, вы правы, — кивнула Маша, стараясь не показать, что сбита с толку.

— Давайте уже перейдем к делу и больше не будем отвлекаться.

— Хорошо. — Маша напустила на себя деловой вид. — На дверях вашего центра написано, что вы «Таемни киевницы». Это то же самое, что ведьмы?

Елена улыбнулась.

— Слово «ведьмы» — слишком старомодно, — сказала она. — Хотя мы употребляем и его. В ведовстве нет ничего плохого, если оно направлено на благие цели. На улучшение духовного здоровья, на обретение целостности личности. Всему этому мы и учим воспитанниц нашего центра.

— Они приходят к вам на занятия или живут здесь?

— Некоторые живут, некоторые приходят. За проживание здесь платят определенную сумму. За обучение тоже. Но все равно мы часто работаем себе в убыток. Например, это здание мы арендуем у администрации города, а аренда стоит больших денег. Также приходится оплачивать выездные сессии. В теплое время года мы предпочитаем проводить занятия на открытом воздухе, за городом.

— Летаете на Лысую гору? — не сдержалась Маша.

Елена взглянула на нее спокойно и ответила:

— Да. Мы стараемся придерживаться традиций.

— А почему «киевницы»?

— Киев — колыбель восточно-славянского христианства. Место крещения Руси. Место, где был основан Печерский монастырь, ставший первой лаврой на территории восточно-славянских земель.

В Киеве существуют пять Лысых гор. Киев — это наша колыбель, место величайшей Силы.

— Сколько у вас воспитанниц? — спросила Маша.

— Около тридцати. Но эта цифра постоянно меняется. Одни воспитанницы приходят, другие уходят. — Она пожала плечами. — Есть и такие, кто покидает нас после нескольких занятий.

Колокольчик, висящий на стене, слабо звякнул, и Елена прервала свою речь. Она посмотрела на Машу, натянуто улыбнулась и сказала:

— Мать вызывает меня. Пойду узнаю: быть может, она готова с вами поговорить.

С этими словами Елена поднялась с кресла и вышла из комнаты. Маша тут же встала с дивана и принялась исследовать комнату. Но не прошло и пары минут, как Елена вернулась.

— Мать хочет посмотреть на вас, — сообщила она. — Но я должна предупредить: она очень больна, и ваша встреча продлится недолго.

— Хорошо.

— Идемте за мной!

Едва Маша переступила порог комнаты Матери, как в нос ей ударило такое обилие запахов и ароматов, что у нее едва не закружилась голова. Главной, самой сильной нотой был запах лекарств, как в больничной палате тяжело больного человека. В него вплетались ароматы сушеных трав и жженых благовоний.

Комната была небольшая, но антураж ее полностью соответствовал статусу и профессии хозяйки. На стенах висели рушники, деревянные идолы, плакаты с изображением женщин, совершавших магические действия, пучки сушеных трав. На стеллажах стояли свечи — большие и малые, белые и черные, банки с какими-то зельями и еще множество предметов, предназначение коих Маша не могла определить.

На резном столике «а-ля русс» стоял круглый аквариум, в нем ползали пауки.

«Мизгири», — вспомнила Маша, глянув на мохнатые лапки маленьких чудовищ.

В тусклом свете нескольких настольных ламп Маша увидела широкую спину седовласого мужчины, который стоял возле кровати и поправлял капельницу. По всей вероятности, он был врачом, хотя и имел военную выправку.

— Я привела ее! — оповестил Елена и легонько толкнула Машу в спину. — Ну же! Проходите!

Мужчина обернулся, посмотрел на Машу строгими светлыми глазами, приветливо кивнул ей и отошел в сторону. На широкой кровати на белых простынях лежала пожилая очень толстая женщина. Судя по голым плечам и огромной морщинистой груди, наполовину скрытой белым покрывалом, старуха была голая. Седые сальные волосы растрепались по подушке, на отекшем бледном лице не было никаких признаков жизни.

— Здравствуйте! — поприветствовала старуху Маша. — Я журналистка, приехала из Москвы, чтобы написать о вас статью.

Толстуха приоткрыла глаза. Две темные щели замерцали, губы приоткрылись, и глухой голос произнес:

— Я знаю, хто ты.

«Словно со дна могилы», — пронеслось в голове у Маши.

Толстуха открыла глаза шире, пристально посмотрела на нее и сказала:

— Пидхоть ближче.

Маша подошла к кровати. Толстуха посмотрела ей в глаза и медленно проговорила по-русски:

— Ты приехала, чтобы навредить мне?

Глаза Матери замерцали злобой. Маша чуть отпрянула — не столько от испуга, сколько от неожиданности.

— Нет, что вы, — сказала она. — Совсем наоборот. Мы пишем о женщинах, об их нелегкой жизни, о необходимости отстаивать свои права и...

— Не выйдет, — хрипло произнесла Мать.

— Что? — не поняла Маша.

— Ничего у тебя не выйдет, — повторила толстуха. И добавила с усмешкой: — Так им и передай.

— Я не понимаю, — пролепетала Маша растерянно. — Я совсем не собиралась...

— Да замолчите же вы! — нервно воскликнул врач. — Разве не видите — вы ее раздражаете!

Суховей закрыла глаза и обмякла на широкой кровати, как гигантский молочный студень на белой тарелке. Елена шагнула к Маше и положила ей руку на плечо. Но смотрела она на доктора.

— Игорь Петрович, держите себя в руках, — холодно сказала Елена. — Вы врач. Вот и лечите, а остальное вас не касается.

Маша догадалась, что между этими двумя идет непрерывная борьба за «доступ к телу» Матери. И пока толстуха больна, побеждает в этой борьбе, видимо, доктор.

— Мать устала, — хмуро произнес врач. — Разговор отнимает у нее слишком много сил.

Маша опустила взгляд. И вдруг ее внимание привлекли странные следы на ковровом покрытии. Это были темные отпечатки в виде полумесяцев. Маша перевела взгляд на ботинки доктора и все поняла. Каблук одного из них был чем-то испачкан. Возможно, кровью. Впрочем, совсем не обязательно.

— Прошу вас, выйдите! — умоляющим голосом произнес доктор. — Мать измучена! Ей нужен отдых!

Лицо его, бледное, с капельками пота на лбу и подбородке, было похоже на срез заплесневелой сырной головы.

— Идемте, — сказала Елена, взяла Машу за руку и вывела ее из комнаты.

Когда тяжелая дубовая дверь закрылась за ними и они оказались в коридоре, Маша почувствовала облегчение.

— Этот мужчина действительно врач? — спросила она у Елены.

— Да, — ответила та.

— Неужели магия и медицина совместимы?

— Медицина — это тоже магия, — ответила Елена. — Только привычная нам. Никто конкретно не знает, как именно действует анальгин на организм, но докторам и пациентам это нисколько не мешает: первым — его назначать, вторым — употреблять.

Из-за двери послышался страшный стон.

— Простите, — извинилась Елена, открыла дверь и скрылась в комнате.

Несколько секунд было тихо. Потом стон повторился. Раздалась громкая брань, приглушенная стеной и толстой дверью. Затем — цокоток каблуков, створка распахнулась, и в коридор вышла Елена.

Она остановилась, посмотрела на Машу строгим холодным взглядом, затем сухо произнесла:

— Мне жаль, но вам придется уйти.

— Что-то случилось? — спросила Маша.

— Мать не в себе. Ваш приход вызвал у нее приступ. Не знаю, в чем тут дело. Вероятно, у вас не совпадают ауры.

— Жаль, что так получилось, — сказала Маша.

— Мне тоже, — отчеканила помощница. — Вас проводят до выхода. Лида! — крикнула она. — Лида!

Послышались легкие шаги. Из-за угла показалась невысокая худенькая девушка, одетая в темное платье. Голова ее была повязана белым платком.

— Проводи нашу гостью до выхода, — распорядилась Елена. — Только выведи ее через черный ход.

Лида кивнула. Елена перевела взгляд на Машу.

— Статья теперь, вероятно, не выйдет? — спросила она.

— Статья?

— Да. Вы ведь собирались написать о нас статью.

— Скорее всего, нет, — согласилась Маша.

Елена на несколько секунд задумалась, а потом спросила:

— Когда вы уезжаете в Москву?

— Сегодня, — ответила Маша. — Но я могу задержаться.

— Правда?

— Да. Этот материал очень важен для нас.

Елена снова задумалась.

— Вот как мы поступим... — заговорила она после паузы. — Позвоните мне завтра, после обеда. Я попытаюсь поговорить с Матерью.

— Спасибо. — Маша вежливо улыбнулась. — Простите, можно еще один вопрос?

— Что за вопрос?

— Я слышала, что у Матери есть дочь и зовут ее Катя.

— Нет. Вас ввели в заблуждение. Можете ехать домой сегодня. Прощайте!

Елена резко развернулась и скрылась в комнате Суховей.

5

— Давно вы здесь? — спросила Маша, шагая по коридору рядом с девушкой Лидой.

— Нам нельзя обсуждать дела общины с чужими, — тихо отозвалась та.

— Понимаю.

Несколько секунд они прошли молча.

— Вам здесь нравится? — снова спросила Маша.

— Да, — так же тихо ответила Лида. — Конечно. Община помогает мне гармонично развиваться.

— А ваши родители? Где они живут?

— Их нет. Уже давно.

— А что с ними случи...

— Мне нельзя с вами об этом говорить, — перебила ее Лида.

— Даже про родителей?

— Даже про них.

— Ладно, — пожала плечами Маша.

Еще через несколько шагов Лида покосилась на нее и вдруг спросила:

— Вы пришли разрушить нашу общину, да?

Маша удивленно вскинула брови:

— Почему ты так решила?

— Я способная, — пояснила Лида. — Могу видеть образ будущего.

— В таком случае, ты знаешь ответ, — сказала Маша.

Они спустились по узкой лестнице вниз.

— Нам сюда, — Лида указала налево. — Сестра Елена велела, чтобы вы вышли через черный ход. Там будет дворик и дорожка прямо до остановки автобуса.

Маша остановилась. Внимательно посмотрела по сторонам и себе под ноги, хотя сама толком не смогла бы объяснить, что надеялась здесь увидеть. Интуиция подсказывала ей, что приключение еще не закончено.

Так и вышло. Маша почти не удивилась, когда увидела на ламинате оттиск каблука — кровавый полумесяц. Маша двинулась к нему.

— Куда вы?

— Я сейчас, — ответила Любимова.

— Туда нельзя! — испуганно крикнула провожатая.

— Я на минуту.

Маша почти бежала по узкому коридору, внимательно глядя на тусклые оттиски окровавленного каблука.

— Остановитесь! Туда нельзя! — кричала сестра Лида, семеня за ней.

Девушка попыталась схватить ее за плечо, но Маша с силой оттолкнула ее от себя. Лида ударилась спиной о стену, но тут же снова ринулась за Машей. А та уже остановилась возле двери, где обрывался кровавый след. Дверь была железная, выкрашенная масляной краской.

Лида подскочила сзади и дернула ее за плащ.

— Нельзя! — завопила она. — Нельзя!

Чтобы избавиться от атак навязчивой «киевницы», майор Любимова быстро достала из сумки удостоверение ГУВД, раскрыла его и сунула Лиде в лицо.

— Я из полиции! — сказала она. — Расследую преступление! Будешь мне мешать — арестую!

Маша убрала удостоверение и повернулась к двери. Вместо обычной ручки здесь было что-то вроде кремальерного запора, как на люках подводных лодок.

— Что там? — спросила Маша, кивнув на массивную никелированную ручку запора.

— Хо... холодильник, — пробормотала Лида.

Маша взялась за круглую ручку и с силой ее крутанула. Раздался щелчок, тяжелая стальная дверь распахнулась, и в лицо Маше повеяло холодом.

Она обернулась к Лиде, но той уже не было в коридоре. Наверняка побежала докладывать Елене. Времени было мало. Маша вошла в холодильную камеру, нащупала на стене рубильник и зажгла свет. И тут же оказалась перед рядом замороженных и освежеванных свиных туш, висящих на крюках.

Подавив приступ тошноты, Маша двинулась вперед по хрусткому, покрытому белой наледью полу. Сделала шаг, другой, третий, обогнула последнюю свиную тушу и замерла на месте. В углу морозильной камеры на стальном полу лежала обнаженная девушка. Широко раскрытые глаза ее покрылись коркой льда, тело было распорото от ключиц до паха, органы — вынуты.

Маша повернулась и быстро вышла из камеры, доставая по пути мобильник из сумочки.

— Любопытствуете? — услышала она мужской голос.

Маша резко подняла голову и увидела перед собой рослого широкоплечего мужчину с каким-то стертым, безликим лицом. Он был одет в черную рубашку, джинсы и серый шерстяной пиджак.

— Я... искала туалет.

— Чому нэ спыталы в кого-нэбудь з сестэр?

— Что? — не поняла Маша.

— Я говорю, почему не спросили у кого-нибудь из сестер?

— Никого не было рядом.

— Ось как? — холодно усмехнулся верзила.

Послышался звук шагов. Из-за угла вывернули Лида и Елена. Помощница матери остановилась и пристально посмотрела на Машу. Затем шагнула к ней, схватила за руку и резко подняла ее к своему лицу. Край рукава Маши был испачкан кровью.

— Возьми ее! — коротко приказала Елена.

Мужчина угрожающе двинулся на Машу. Она отскочила к стене, выхватила из сумочки травматический пистолет и направила его верзиле в грудь.

— Не приближайтесь! — яростно и жестко проговорила она.

Он остановился и вопросительно посмотрел на Елену. Та, уставилась на Машу.

— Журналистка с пистолетом? — иронично протянула она. — Это что-то новое. Боюсь, с этого дня нам придется обыскивать всех гостей.

— Не придется, — сказала Маша.

Продолжая держать верзилу на прицеле, она поднесла к глазам сотовый телефон. Нажимая на кнопку связи, Маша на секунду потеряла бдительность. Охранник молниеносно прыгнул на нее и ловким движением сбил с ног, одновременно выхватив у нее пистолет.

Свободной рукой он схватил Машу за горло, а в другой повертел ее пистолет.

— Травматика, — с усмешкой сказал он.

Маша, задыхаясь и хрипя, попробовала дотянуться до упавшего на пол телефона. Но верзила-охранник одним рывком поднял ее на ноги и спросил у Елены:

— Что с ней делать?

— Веди ее за мной, — распорядилась та. — Я посоветуюсь с Матерью.

— Вона дужэ багато бачила.

— Я сказала: я посоветуюсь с Матерью.

— Якщо вона кому-нэбудь розповисть...

— Хватит! — рявкнула на охранника Елена. — Я поговорю с Матерью и скажу тебе, что делать!

— Добрэ, — пробасил верзила, сунул пистолет в карман пиджака и слегка ослабил хватку.

— Я из российской полиции! — прохрипела Маша, глядя ему в глаза. — Меня будут искать!

— Я в цьому сумниваюсь, — усмехнулся он.

— Вы не понима...

Верзила достал из другого кармана носовой платок, смял его в ком и грубо втолкнул его Маше в рот. Потом заломил ей руку за спину и потащил вслед за Еленой и Лидой.

6

— Лучше зажмурься, если не хочешь отдирать скотч вместе с глазами, — посоветовал охранник.

Маша закрыла глаза. Он обмотал скотч вокруг ее головы, заклеивая веки. Маша погрузилась во тьму. И тут же испытала чудовищный приступ паники. Она поняла, что сейчас умрет — до того, как эти гады тронут ее. Умрет от ужаса, от комка, вставшего в горле, от разрыва сердца, судорожно бьющегося в груди.

«Успокойся, Любимова, — приказала она себе. — Ты еще жива. И ты выпутаешься из этой ситуации».

Охранник связал Маше скотчем руки за спиной, затем усадил ее на стул. Некоторое время из-за закрытой двери доносились стоны Матери. А затем стоны эти обрели форму слов, и Любимова услышала связную речь.

— Ты чуешь мэнэ?.. — спрашивала кого-то Суховей. — Заклынаю тэбэ! Заклынаю тэбэ!.. Ты плоть моя и кров моя!.. — Старуха говорила медленно, с частыми перерывами, словно для того, чтобы отдышаться перед следующими яростными призывами.

Толстуха заплакала. Машу пробрал мороз, когда она поняла, с кем только что беседовала Мать. В ее памяти возник образ обугленного женского трупа, лежащего на жухлой траве.

КАТЯ СУХОВЕЙ!

— Залышився ще одын... — снова заговорила Суховей, всхлипнув. — Вбый його... Заклынаю тэбэ плотью и кровью, вбый його... Вбый!..

«Остался один? — удивилась Маша. — Но почему один? Ведь еще живы Андрей Темченко и Виталий Борзин! И что, черт возьми, означает это обращение? Катя Суховей не может восстать из пепла и отомстить своим убийцам. Она мертва, и ей не воскреснуть. Это невозможно!»

Но, видимо, старуха Суховей придерживалась другого мнения.

— Залышивсь одын... — продолжала причитать она. — Вбый його, милая!.. Вбый!..

Тут Мать замолчала и снова всхлипнула. Затем раздался скрип открывающейся двери. А потом Маша услышала голоса доктора и Елены.

— Мы можем использовать ее органы для лечения, — сказал доктор. — Но я должен подготовиться.

— Сколько тебе понадобится времени? — спросила Елена.

— Пара часов. Я могу выпотрошить ее прямо сейчас, забрать все, что нужно, и заморозить до поры до времени. Но лучше, если ее тело будет инкубатором. По крайней мере, на ближайшие пару часов.

— Хорошо.

Доктор вернулся в кабинет и закрыл за собой дверь. Елена подошла к Маше. Некоторое время ничего не происходило, потом Любимова почувствовала прикосновение ее ладони к своей щеке.

— Ты послужишь хорошему делу, Мария, — сказала Елена. — Мать болеет. Но благодаря тебе она почувствует себя лучше.

Маша дернулась, но тяжелая рука охранника опустилась ей на плечо. Она услышала, как Елена усмехнулась.

— Ты хочешь знать, что с тобой будет? — спросила она. Затем приникла к ней и произнесла, обдав ухо Маши горячим дыханием. — Все очень просто. Слышала такую поговорку: «мы то, что мы едим»?

Если ведьма слепнет, она забирает у кого-нибудь глаза. Если ее сердце одряхлело, она забирает чужое сердце. У тебя есть повод для гордости, Мария. Наша Мать будет смотреть на мир твоими глазами. А в ее дряхлой, жирной груди будет биться твое сердце.

Елена выпрямилась.

— Уведите ее в морозильную камеру. Но обращайтесь бережно, чтобы ничего не повредить.

Охранник поднял Машу со стула и потащил ее по коридору. Она слышала тихие взволнованные голоса воспитанниц. Один раз, забыв про кляп, Маша попыталась крикнуть, но лишь тихо застонала.

— Тише! — пробасил охранник и ударил ее кулаком в бок.

Боль от удара, подобно электрическому разряду, пронзила левую часть тела. У Маши подкосились ноги, и охранник сильно тряхнул ее.

— Нэ завалюйся! — услышала она приказ. — А то вдарю знову!

Вскоре они остановились. Маша услышала лязг запора, затем скрип стальных петель. Охранник швырнул ее на пол, и ледяной холод обжег ей руки и шею. Через несколько секунд холод стал пробираться и через тонкую ткань кофточки и плаща.

— Посиди здесь и остынь, — насмешливо произнес охранник.

Дверь с шумом захлопнулась, лязгнул замок, и Маша осталась в полной темноте.

7

Поглядывая на дорогу, Глеб убрал одну руку с прохладной поверхности руля и включил радиоприемник.

— Мы продолжаем концерт по заявкам! — объявил из динамика бодрый голос ведущего. — Два московских школьника Андрюша и Глеб попросили поставить для своей любимой учительницы Светланы Петровны Зотовой песню «Мой учитель» в исполнении ансамбля «Улыбка»! Мы с удовольствием выполняем эту просьбу!

Послышалось короткое музыкальное вступление, а затем звонкий детский голос запел:

Зовет за парты ласковый звонок!
Веселый смех на время умолкает!
Учитель начинает свой урок
И все вокруг как будто умирает!..

Глеб нахмурился. Должно быть, слово «умирает» ему просто послышалось. А как должно быть? Замирает?.. Конечно, замирает! «И все вокруг как будто замирает».

Глеб улыбнулся своей мнительности. А звонкий жизнерадостный голос продолжал:

Промчатся годы быстрой чередой!
С учителем придется попрощаться!
За то, что мы глумились над тобой,
Нам с Темченко не будет в жизни счастья!

ВЕДЬМА ПРИДЕТ ЗА ТОБОЙ

Лоб Глеба Корсака покрылся испариной. Он покосился на освещенную неоновым светом панель радиоприемника, усмехнулся и пробормотал:

— Новый симптом. Надо же. Ну-ну.

Исполнитель запел припев, и к нему присоединился детский хор.

> Скажи нам, учитель, последнее слово,
> Пока еще с нами живешь!
> Скажи нам, учитель, когда это будет,
> Когда ты судить нас придешь?

Глеб резко вдавил ногой педаль тормоза. Машину крутануло на мокрой дороге, и он едва не потерял управление. Остановив автомобиль, Глеб ударил по радиоприемнику кулаком. Затем, не обращая внимания на закапавшую из разбитого сустава кровь, достал из бардачка флакон с лекарством и бутылку с кока-колой. Высыпал на ладонь три пилюли, забросил их в рот и запил.

Посидел немного с закрытыми глазами, затем пробормотал:

— Что-то происходит. Но что?

Он потер пальцами виски. Перед глазами у него заплясали образы. Взметнулись кверху языки пламени, разрезая ночную мглу; запылал охотничий домик, потянуло гарью...

Глеб почувствовал, что задыхается, словно машина и впрямь наполнилась дымом. Он опустил стекло и ослабил на шее галстук. Но это не помогло.

Тогда Корсак открыл дверцу и выбрался из салона на воздух. На улице было свежо и влажно. Собирался дождь. Немного постояв, Глеб подождал, пока сердцебиение успокоится, потом достал из кармана электронную сигарету и сжал ее обескровленными губами.

* * *

— Глеб, я рад, что ты пришел, — пробормотал Темченко слабым голосом.

Корсак сел на стул рядом с кроватью.

— Ты что-то вспомнил? — спросил он, стараясь, чтобы голос его не дрожал.

— Нет, — ответил Андрей, глядя на него блестящими глазами. — Я хотел тебе кое-что показать.

— Что именно?

— Глеб, я...

— Андрей Павлович, можно я выйду? — попросила Лиза и с опаской покосилась на лежащую на тумбочке видеокамеру, словно та могла напасть на нее и задушить.

— Да, Лиза. Конечно.

Девушка поднялась со стула и поспешно вышла из палаты. Корсак проводил ее непонимающим взглядом, потом посмотрел на Андрея.

— Она напугана? — спросил он.

— Да. И я тоже. — Темченко смотрел на него мрачно. — Я тоже напуган, Глеб. Сильно напуган.

— И что же тебя напугало?

Он спросил иронично, но Андрей не обратил на его усмешку никакого внимания.

— Возьми, пожалуйста, компьютер, — попросил он. — Он на тумбочке рядом с видеокамерой.

Глеб протянул руку и взял лэптоп. Положил его себе на колени и открыл крышку.

— Хорошая игрушка, — похвалил он. — Две сто мегагерц, интел, четыре ядра... Полагаю, ты хочешь, чтобы я его включил?

— Да.

Глеб нажал на кнопку. Подождал, пока на экране появится заставка.

— Видишь файл? — спросил Андрей.

— Да, — ответил Корсак. — Он здесь один.

— Это видеозапись. Включи ее.

Глеб сделал, как он просил. Некоторое время он просматривал запись, затем спросил с усмешкой:

— Ты снимал окно и вечернюю улицу? Очень занятно.

— Включи на ускоренную.

Глеб клацнул клавишей сенсорной «мыши».

— Это все, — сказал он через несколько секунд.

— Что? — не понял Темченко.

— Здесь больше ничего нет.

— Как нет?

— Очень просто — нет, и все. Запись закончилась.

Темченко побледнел и сжал в руке край покрывала.

— Ты уверен? — испуганно спросил он. — Проверь еще раз!

Глеб проверил.

— Продолжительность — четыре минуты, — сказал он. — На записи нет ничего, кроме окна и улицы.

— Этого не может быть... — хрипло проговорил Темченко. — Там это было!

— Что было?

— Ведьма! — Он посмотрел Глебу в глаза и добавил: — Тварь из преисподней, которая меня преследует!

Некоторое время оба молчали. Первым молчание прервал Корсак.

— Что тебе дают? — спросил он, пытаясь разглядеть зрачки Андрея. — Наркотик, снотворное? Что?

Темченко закрыл глаза и облизнул пересохшие губы.

— Видимо, мне показалось, — сказал он. — Или приснилось. Не бери в голову.

— А та девочка-медсестра? — спросил Глеб. — Она тоже видела запись?

Андрей, не открывая глаз, покачал головой:

— Нет. Она тут ни при чем.

— Тогда почему она попросилась уйти?

Темченко молчал.

— Что здесь происходит? — спросил Корсак. — Ноутбук, видеокамера... Чем вы занимаетесь?

Андрей открыл глаза и посмотрел на журналиста.

— Глеб, я уже совсем ничего не понимаю, — сказал он с болью и горечью. — Я не знаю, где реальность, а где сон. Что мне делать, Глеб? Что мне делать?

— Хочешь, я позову врача?

— Не надо.

— Ты болен, и тебе надо лечиться. А для этого нужен врач.

Темченко выпростал из-под покрывала руку и сжал запястье Глеба.

— Прошу тебя, никому не рассказывай про эту запись, — попросил он. — Я не хочу, чтобы меня считали сумасшедшим.

— Хорошо. — Глеб встал со стула. — Мне пора. Выздоравливай!

Он вышел из палаты.

В коридоре он встретил Евгения Борисовича. Пожал ему руку и спросил:

— Доктор, вы знаете, что у Темченко галлюцинации?

— Да, знаю. — Чурсин вздохнул. — Это все из-за препаратов, которые он принимает.

— И с этой девочкой-медсестрой тоже что-то не то, — сказал Глеб. — Они снимали что-то на видеокамеру.

— Да, я в курсе. Они снимали закат.

— Боюсь, что закат здесь ни при чем. Темченко говорил про ведьму.

— Про ведьму?

Глеб кивнул:

— Да. И медсестра в курсе, но почему-то ничего вам не рассказывает. Похоже, у них один психоз на двоих. Кстати, вот и она!

Доктор повернул голову, увидел Лизу, которая доставала что-то из шкафчика, и окликнул ее:

— Лиза, подойди, пожалуйста, сюда.

Девушка закрыла шкафчик и с готовностью подошла. Остановилась. Покосилась на Глеба с опаской.

— Да, Евгений Борисович.

— Глеб Олегович рассказал мне про какую-то видеозапись. Что вы снимали?

Медсестра молчала, закусив губу.

— Что было на записи? — спросил у нее Глеб.

— Рассказывай, мы все равно узнаем, — потребовал доктор Чурсин.

— Там была... женщина, — тихо произнесла Лиза. — Она стояла под фонарем, напротив окна. Потом... Потом она вдруг оказалась перед самым окном. Это произошло очень быстро. Страшно быстро!

Глеб и доктор переглянулись.

— Дальше, — потребовал Чурсин.

— Дальше было еще страшнее. Женщина исчезла. А через секунду снова появилась... — Лиза побледнела и с трудом договорила: — Но уже перед видеокамерой.

— Как перед видеокамерой? — не понял доктор. — Вы хотите сказать, что она была в палате?

— Да.

Глеб почувствовал, как по его спине пробежали мурашки. С трудом усмехнулся и произнес небрежно:

— Прямо мистика какая-то.

Лиза посмотрела на него с осуждением.

— Вам смешно? — спросила она. — А вот мне — нет. Даже когда я это рассказываю, у меня кровь стынет в жилах.

— Лиза, ты ведь понимаешь, что этого не могло быть? — сказал, с мрачным любопытством разглядывая медсестру, Чурсин.

Она перевела взгляд на него.

— Понимаю. Но я это видела.

— Я смотрел запись, — сказал Глеб. — Там не было никакой женщины. Только окно и улица, освещенная фонарем.

Доктор Чурсин поправил пальцем очки и, строго посмотрев на медсестру, сказал:

— Послушай меня, Лиза, ты хочешь продолжать работать в нашей клинике?

— Да, — пробормотала девушка. — Конечно.

— В таком случае ты сегодня же отправишься на консультацию к невропатологу. И все ему честно расскажешь. Я позвоню и проверю.

На глазах у Лизы блеснули слезы.

— Евгений Борисович, это нечестно, — дрогнувшим от обиды голосом сказала она.

— Ты собираешься со мной спорить?

Лиза опустила взгляд.

— Простите.

— Можешь идти.

Она повернулась и зашагала прочь.

— Я это видела, — пробормотала она себе под нос.

Чурсин взглянул на Глеба.

— У вас есть сигарета?

— Только электронная, — ответил тот.

— Следуете новым веяниям? — усмехнулся доктор.

— Пытаюсь быть законопослушным гражданином, — сказал Глеб.

— Ясно. — Евгений Борисович вздохнул. — Я бросил несколько лет назад, но иногда чертовски хочется закурить.

— Понимаю. Что вы об этом думаете, доктор? — поинтересовался Глеб.

— Вы про Темченко и Лизу?

— Да.

— Думаю, что они слишком сильно привязались друг к другу. Я не имею ничего против романтических отношений. Главное, чтобы эти отношения не мешали лечению.

— Я не об этом, — сказал Глеб. — Что вы думаете об истории с видеозаписью?

— То же, что и вы, — ответил Чурсин. — Это была галлюцинация.

— Но медсестра утверждает, что она тоже видела таинственную женщину.

Чурсин вздохнул.

— Лиза Пояркова слишком много общается с пациентом Темченко. А психозы, как известно, вещь заразная.

— Да уж, — невесело усмехнулся Глеб. — Что будет с Андреем? Он идет на поправку?

— Я бы так не сказал. Двигательные функции уже вряд ли восстановятся. Он на всю жизнь останется инвалидом.

— И насколько долгой будет его жизнь? — уточнил Глеб.

— Ну... — Чурсин пожал плечами. — Если он будет соблюдать все необходимые процедуры, то при должном уходе ничто не помешает дожить ему до семидесяти лет.

— Вряд ли эта новость его обрадует, — заметил Глеб.

— Согласен, — кивнул доктор. — Поэтому не стоит ему пока ничего говорить. Пусть сперва хоть немного окрепнет.

8

Маша посмотрела Корсаку в глаза и сказала:

— Мне холодно, Глеб. Мне кажется, я умираю.

Белый пар, вырвавшийся у нее изо рта, заслонил лицо Глеба, но через секунду рассеялся.

Глеб улыбнулся, покачал головой и мягко произнес:

— Ерунда. Ты выдержишь, ты сильная.

— Не такая уж сильная, — со вздохом сказала она. — Раз не смогла тебя удержать.

— Удержать? — На его лице отразилось легкое замешательство. — Но ты ведь сама захотела, чтобы мы разошлись.

Маша улыбнулась побелевшими от холода губами.

— Какие же вы, мужчины, глупые. Ничего-то вы не понимаете.

Глеб протянул руку и ласково погладил ее по покрытым инеем волосам.

— Ты выдержишь, — повторил он, глядя ей в глаза. — Вспомни, через что ты прошла. Обезумевшая толпа пыталась принести тебя в жертву. Но ты выжила. Горбун-маньяк держал тебя в погребе и травил собаками, но ты выжила. Тебя пытались убить и замучить много раз, но ты все еще здесь, живая и здоровая. Тебя так просто не сломить.

— Я выжила, потому что ты всегда был рядом.

— Я и сейчас рядом, — уверенно сказал Глеб. — Ведь ты говоришь со мной.

— Это все сон. Видение. Я ведь понимаю. — Она грустно улыбнулась. — Старуха Суховей — настоящая ведьма, и она не выпустит меня отсюда. Но я боюсь не этого.

— А чего? Чего ты боишься, Маша?

— Я боюсь, что она причинит вред детям... и тебе.

— Не причинит, — твердо сказал Глеб. — Не сможет.

Маша вгляделась в его осунувшееся бледное лицо.

— Глеб, в последнее время ты плохо выглядишь. Я давно хотела тебе об этом сказать. С тобой что-то происходит, верно?

Он отвел глаза и уклончиво ответил:

— Возможно.

— Я хотела обо всем расспросить, но не решилась. Не хочу, чтобы ты думал, будто я все еще люблю тебя. Не ради себя. Ради тебя.

Он улыбнулся и с нежностью сказал:

— Глупенькая. Тебе не надо ничего говорить. Я все понимаю. Я знаю тебя лучше, чем ты сама.

— Да. — Маша улыбнулась. — Ты самый умный мужчина на свете.

Глеб дернул щекой и произнес с досадой:

— Не такой уж и умный, раз потерял тебя.

Маша поежилась.

— Я замерзаю.

Глеб насмешливо сказал:

— Ерунда! Подумаешь — холод. Ты всегда любила зиму. Ведь так? Вспомни, как счастлива ты бываешь зимой.

— Да, я любою зиму. Знаешь, в юности, когда мне было лет двадцать, я ездила зимой в деревню к родственникам... Я находила в лесу чистый сугроб, вырывала в нем ямку и наливала туда вишневого ликера. А потом ела его ложкой! Глупо, правда?

Глеб покачал головой:

— Нет. Это очень красиво.

Маша снова поежилась.

— Мне по-прежнему холодно, Глеб.

— Ты не замерзнешь. Я обниму тебя, и тебе станет тепло. Иди ко мне!

Он обнял ее — крепко-крепко, прижал к себе и поцеловал в макушку.

— Ну, вот. Сейчас ты согреешься. Я тебе обещаю. Ты мне веришь?

— Верю, — сказала Маша. — И всегда верила. Каждому твоему слову. Даже когда знала, что ты лжешь.

Глеб тихо засмеялся и поцеловал ее в щеку. Губы у него были теплые, почти горячие. И руки тоже. Маше и впрямь стало теплее в его объятиях.

...Она почувствовала, что засыпает.

9

А потом, когда, казалось, холод проник в каждую клетку ее организма, когда он остановил кровь в ее жилах и превратил эту кровь в лед, Маша услышала лязг замка, а следом — голоса.

— Вон она! — крикнул кто-то. — В углу!

По мерзлому полу загромыхали ботинки. Что-то легло на плечи Маше.

— Уйдите с дороги — я ее вынесу! Ну же!

Сильные руки подняли ее с ледяного пола и понесли — Маша улыбнулась в смертельной полудреме, ей почудилось, будто она поплыла.

— Сильное переохлаждение, — снова услышала она чей-то далекий голос.

Потом зазвучало сразу несколько голосов, но словно издалека, Маша не смогла разобрать ни слова. Яркий свет полоснул ее по глазам.

— Растирайте! Ну же, бисовы дити! Одеяла сюда! Ну! И термос, термос принесите!

До сих пор Маша не чувствовала боли, но вдруг — словно сотни игл вонзились в ее тело: в руки, в ноги, в шею и щеки. Она разомкнула губы и закричала, вернее — ей показалось, что она кричит, а на самом деле с губ ее слетел лишь хриплый вздох.

Боль жгла, колола, резала.

— Давайте же! — кричал взволнованный мужской голос, который казался Маше странно знакомым. — Растирайте! Курыленко, ноги растирай! Да сильнее, дурень! И термос, термос несите! Ох, бисовы дити, шоб у вас рога поотваливались!

Постепенно боль отступила, и на смену ей пришел жар — словно Машу обложили горячими полотенцами.

— Мария Александровна! Маша!

Она открыла глаза и сперва не видела ничего, кроме яркого света, а потом на этом сияющем фоне появился темный силуэт. Силуэт стал сгущаться, обретать черты. И наконец превратился в мужское лицо.

— Ну? — Лицо приблизилось, светлые глаза тревожно вгляделись в нее. — Маша! Ты меня слышишь?

Что-то горячее обожгло губы и рот, прокатилось жаркой, режущей волной в груди. Маша поняла, что пьет из термоса обжигающую сладкую жидкость.

— Пей, Маша, пей! Это чай!

Она сделала еще несколько глотков.

— Ну? — взволнованно спросил Леонид. — Как ты?

— Нор... нормально, — вымолвила Маша.

Леонид засмеялся.

— Ну, отлично! Теперь все будет хорошо! Врач сказал: если сразу проснешься, то все наладится!

— Да, — сказала Маша и тоже попробовала улыбнуться.

Как ни странно, у нее получилось.

— Как ты... как ты меня нашел? — едва слышно пробормотала она.

— Мы отследили твой мобильник! — объяснил Леонид, сияя. — Ты набрала мой номер! Помнишь?

«Помню», — хотела сказать Маша, но у нее не хватило сил, и она закрыла глаза.

Сорок минут спустя она сидела на стуле, закутавшись в одеяло, и снова пила чай из термоса, который приволок с собой кто-то из коллег Леонида. Чай был горячий, крепкий и сладкий.

— Пей, пей, — сказал он ласково, сидя рядом, и по-отечески поправил одеяло. — Натерпелась небось ужасов? Будет что рассказать москальским полицаям.

Маша уже пришла в себя, но зубы ее все еще стучали по пластиковой кромке чашки термоса.

Мимо нее провели скованную наручниками Елену. Волосы «помощницы» растрепались, лицо было покрыто пятнами, в остановившихся глазах застыла злоба. Она даже не посмотрела в сторону Маши.

Затем двое милиционеров провезли на медицинской каталке толстую отвратительную старуху, накрытую до подбородка простыней. Глаза толстухи были закрыты, но, когда ее проносили мимо Маши, она разлепила веки и прохрипела, бросив на Любимову тусклый взгляд.

— Хай тоби грець... Коли помру сегодня ночью — приду за тобой с того света. Приду и сожру твое сердце.

Пальцы Маши ослабли, термос выпал и покатился по полу, расплескивая остатки чая.

— Шоб вам повылазило! — выругался на своих людей Леонид. — Катите ее прочь!

Парни, багровея от усилий, поспешно покатили толстуху дальше. Леонид поднял термос и поставил его на соседний стул.

— Не бери в голову, — мягко сказал он Маше. — Меня каждый день так «поливают»!

Он ободряюще улыбнулся, но она видела, как побледнело его лицо.

— Спасибо, что выручили, — поблагодарила она.

— Та нэма за шо, — улыбнулся в ответ Леонид. — Вижу, «ведьмин глаз» тебе не помог?

— Не помог. Наверное, амулет попался бракованный, — пошутила Маша.

— Я так и знал, что все это ерунда. Никогда не верил в амулеты.

— Тогда почему мне его подарил?

Леонид лукаво прищурился.

— Хотелось тебя заинтриговать.

— То есть ты просто со мной флиртовал?

— Угу.

— И про Кулебовку рассказывал для «интриги»?

— Точно, — кивнул он. — Женщинам нравятся тайны.

Маша поежилась под накинутым на плечи одеялом.

— Значит, эти сумасшедшие похитили девушку и убили ее, — констатировала она.

Улыбка сползла с губ Леонида.

— Да, — сказал он. — «Нетрадиционная медицина», будь она неладна. Старуха Суховей сильно болеет. Щоб ее муха вбрыкнула! — Он перекрестился. — Вот и придумала себе лечение.

Маша посмотрела на него потемневшими глазами.

— Девушка была беременна, так?

Леонид отвел взгляд.

— Так, — сказал он.

— Они достали из нее...

Леонид кивнул:

— Да.

Маша замолчала. Она не могла этого осмыслить.

— У этих сумасшедших дур своя правда, — тихо проговорил Леонид. — Но разбираться в этом будем не мы с тобой, а психиатры.

Маша несколько секунд сидела неподвижно. Потом пододвинула к себе сумку, достала из кармашка круглый камушек и протянула его Леониду.

— Возьми.

— Что это?

— Амулет. «Ведьмин глаз».

Леонид дернул уголками губ, но улыбнуться не посмел.

— Оставь себя на память, — не совсем уверенно произнес он.

Маша покачала головой:

— Нет. Боюсь, что этого кошмара я и так никогда не забуду.

— Да... Понимаю.

Он взял с ее ладони камушек и положил в карман пиджака.

— Ты уже позвонил Старику? — спросила Маша.

— Кому?

— Полковнику Жуку. — Она вяло улыбнулась. — Ты ведь не случайно оказался в том поезде, правда? Помог мне разобраться с таможенниками, дал визитную карточку, примчался по первому моему зову. Это Старик тебя попросил, верно?

— Понятия не имею, о чем ты говоришь.

Маша вгляделась в его простодушное лицо, в невинные глаза цвета июльского неба и улыбнулась:

— Ну-ну. Будем считать, что я тебе поверила. Сделаешь мне еще чаю?

— Конечно. — Леонид улыбнулся. — Это самое меньшее, что я могу для тебя сделать.

Глава 9

●

СХВАТКА

1

— Маша, ну наконец-то! — Глеб встал из-за стола, едва не опрокинув кофе, который ему только что принес официант. — Я уже несколько часов пытаюсь тебе дозвониться!

Он поцеловал ее в щеку и выдвинул для нее стул.

— Садись и рассказывай!

Маша села за стол и поежилась, словно ее морозило. Потом достала из сумочки платок и высморкалась.

— Прости, — виновато сказала она. — Кажется, я немного простыла.

— Судя по красным глазам и багровому носу, простыла ты вполне конкретно. Температуры нет?

Он протянул руку, чтобы потрогать ее лоб, но она отстранилась.

— Со мной все в порядке, Глеб. — Она оглядела кафе. — Здесь хороший кофе?

— Хороший. Но тебе сейчас полезнее будет чай. Я закажу.

Он подозвал официанта и заказал чашку любимого Машей «ройбуша» и вазочку малинового джема.

— Только поскорее, — попросил он. — У нас тут больной, которому срочно нужно подлечиться.

— Так, может, добавить в чай коньяку? — предложил официант с понимающей улыбкой.

— Не надо коньяку, — сказала Маша. — Просто чай. И главное, побыстрее.

Официант удалился, она снова взглянула на Глеба.

— Что ты хотел мне рассказать?

— А ты?

— Рассказывай первый.

Глеб улыбнулся:

— Ладно. Мне кажется, я знаю, чей труп нашли в Сорочьей балке.

— Чей?

— Я пойму, если ты отнесешься к моим словам несерьезно, но...

— Глеб, я всегда отношусь серьезно к твоим версиям и гипотезам.

— Да, пожалуй что так, — согласился Глеб. — Женщина, обугленные останки которой мы нашли, была убита необычным способом. Ей пробили колом грудь, а потом сожгли. Так убивают ведьм.

Маша прищурилась.

— Продолжай.

— Что-то ты не сильно удивилась, — констатировал Глеб. — Мои слова подтверждают какую-то твою догадку?

— Возможно. Но закончи свой рассказ.

— Я встречался со специалистом по ведьмам.

— Бывают и такие? — усмехнулась Маша.

— Да. Картина складывается следующая. В том охотничьем домике Темченко и его друзья были не одни. С ними была женщина, которую они, уж не знаю по какой причине, приняли за ведьму. Допускаю, что парни привезли ее туда насильно, чтобы произвести расправу. Другими словами, покарать ее за что-то.

— За что?

Глеб пожал плечами:

— Этого я не знаю. Но Темченко всегда тяготел к мистике. Возможно, он вообразил себя охотником на ведьм. И возможно, убийство в лесном домике было у него не единственным и даже не первым.

К столику подошел официант.

— Ваш заказ, — вежливо сказал он, выставив на стол чай и джем. — Лечитесь на здоровье!

Маша поблагодарила официанта, дождалась, пока он уйдет, и спросила у Глеба:

— Ты считаешь, что они специально заманили туда эту женщину, а затем пробили ей колом грудь и сожгли ее тело?

— Я бы не исключал этой версии.

Глеб отпил кофе. Маша сделала глоток чая и снова поежилась.

— Налегай на джем, — посоветовал Глеб. — В малине вся сила.

— Угу. — Она съела ложечку джема и опять запила чаем.

— Ну, как?

— Вкусно, — одобрила Маша.

— Ну, а теперь расскажи, что знаешь ты, — предложил Глеб.

Она немного помедлила, решая, с чего начать, а затем сказала:

— Думаю, ты прав, и парни действительно были уверены, что убивают ведьму. И картину убийства ты описал верно. Больше того, я знаю имя убитой девушки. Ее звали Катя Суховей. Она приехала в Москву из Украины, зарабатывала на жизнь проституцией.

Маша перевела дух и отпила чая. Глеб смотрел на нее выжидающе.

— Мать Кати Суховей — предводительница общины «Таемни киевницы». Эти женщины считают себя ведуньями. Видимо, Катя Суховей была из них.

— Можешь рассказать подробности? — спросил Глеб.

— Да.

И она рассказала ему о своей поездке в Новомосковск — подробно, стараясь не упускать деталей. Глеб слушал ее с напряженным вниманием.

— Что ж, — произнес он, когда она закончила. — Твой рассказ подтверждает мою версию. Четыре парня поехали в лес, чтобы устроить там мальчишник. С собой они взяли двух девушек, Катю и Свету. Потому что — «какой же мальчишник без стриптизерш».

— Без проституток, ты хотел сказать.

— В данном случае да. Парни пили вино, веселились, но потом что-то пошло не так. Возможно, сказалась атмосфера ночного леса — темнота, шум ветра, луна, обстановка располагала к мистике. Не знаю с какого бодуна, но парни решили, что Катя — ведьма...

— Быть может, у них была причина? — предположила Маша.

— Ты серьезно?

Маша пожала плечами:

— Я просто это допускаю. Ты ведь первый завел разговор о ведьмах.

— Да, — усмехнулся Глеб. — Ты права. Так или иначе, но парни решили разделаться с девушкой.

— Почему они просто не уехали? Чтобы всадить живому человеку осиновый кол в грудь, а потом сжечь его, нужна дьявольская решимость. Необходимо сжечь мосты, понимаешь? Но четверо парней, принадлежащих к «золотой молодежи», не могли этого сделать. Они закончили самые престижные вузы страны. Перед ними открывалось блестящее будущее. Так почему они ввязались в эту чертовщину? Почему просто не сбежали?

Глеб сдвинул брови.

— Вот это вопрос.

Пока он размышлял, Маша допила чай.

— Я слышала, как старуха Суховей беседовала со своей погибшей дочерью, — сказала она. — Призывала ее отомстить обидчикам. Кричала, что остался еще один.

— Один?

Маша кивнула:

— Да.

Глеб принялся загибать пальцы:

— Игорь Пряшников, Артур Ройзман, Светлана Паскевич... Осталось еще двое — Темченко и Борзин.

— Я уже распорядилась насчет охраны Андрея Темченко.

— Думаешь, это поможет?

— Думаю, что не помешает.

— А как насчет Борзина?

— Мы не может его найти. Связались с нашим посольством в Лиссабоне, но оттуда пришло сообщение, что Виталий Борзин взял отпуск неделю назад. С тех пор его никто не видел. Границу России Борзин не пересекал, значит, он все еще находится в Европе. Полковник Жук взял его поиски под свой личный контроль.

— У Борзина есть семья?

Маша покачала головой:

— Нет. Друзья и приятели не знают, где он.

— Катю Суховей убили, вогнав ей в грудь осиновый кол, — сказал Глеб. — Светлана Паскевич осталась жива. Но почему она молчала?

— Потому что она во всем этом участвовала, — предположила Маша.

— Да. Возможно. Но почему?

— Может быть, подруги поссорились? — А может, Светлана Паскевич испугалась, что парни расправятся и с ней? Или ее заставили принять участие в расправе, чтобы она молчала? Вариантов много. Одно я знаю точно: я никогда не поверю в воскрешение Кати Суховей, пусть даже она была трижды ведьмой. Мертвые не встают из могил и не бродят среди живых, — заявила Маша.

— Есть люди, которые с тобой не согласятся, — заметил Глеб.

— Эти люди привыкли принимать все на веру, а я не имею права так поступать. По долгу службы.

— Знаю. — Глеб улыбнулся. — Ты всегда и во всем сомневаешься.

— Ты тоже.

— Вероятно, поэтому нам было так комфортно вместе.

— Глеб, не начинай.

— Почему ты боишься говорить о наших отношениях?

— Потому что у нас с тобой нет никаких отношений, — отчеканила Маша.

— Ты слишком страстно об этом говоришь, — заметил Глеб.

— Тебе показалось, — отрезала она. — И давай больше не будем говорить о нас. Только о деле.

— Заметано, — кивнул Глеб.

Маша глянула на часы.

— Мне пора уходить. Дел полным-полно.

— Да, — задумчиво произнес Корсак. — Конечно.

Маша повертела в пальцах пустую чашку.

— Глеб, я задам тебе один вопрос и хочу, чтобы ты ответил на него честно. Это не для протокола.

— Правда? — Корсак достал из кармана электронную сигарету и улыбнулся. — Тогда почему у тебя такой «протокольный» голос?

— Возможно, я слишком устала. Не придирайся к словам. Просто ответь на мой вопрос.

— Отвечу, если задашь.

Она еще несколько секунд помолчала, видимо собираясь с духом, а затем спросила:

— Глеб, ты был с ними?

Электронная сигарета замерла у губ Корсака.

— Что?

— Ты был в охотничьем домике с Темченко и его друзьями?

— Что за бредовая мысль?

Маша облегченно вздохнула:

— Спасибо. Я услышала то, что хотела.

Она взяла в руки сумочку.

— Почему ты вообще решила, что я был с ними? — спросил Корсак.

— Я разговаривала с Андреем Темченко по телефону. И у меня сложилось впечатление, что он... В общем, он намекал на твое участие в этой истории.

Глеб почувствовал, как в душе шевельнулось что-то смутное и тоскливое, словно забытое воспоминание, которое никогда уже не вернется.

— Либо Темченко идиот, либо ты неправильно его поняла.

— Правда?

— Да.

Маша проницательно прищурилась.

— Мне показалось, что последнюю фразу ты произнес не совсем уверенно.

— Ерунда!

— Ладно.

— Мы прожили с тобой под одной крышей несколько лет, и я никогда тебе не лгал.

— Я же сказала — ладно. — Она поднялась из-за стола. — Звони мне, если появятся интересные мысли.

— Хорошо.

Она закинула сумочку на плечо, секунду колебалась, затем нагнулась и поцеловала Глеба в щеку.

— Будь здоров, Корсак!

Повернулась и быстро вышла из кафе. Глеб подозвал официанта и заказал себе водку с тоником и лимоном.

2

— Как тебе коктейль?

Глеб поставил стакан с коктейлем на стол и посмотрел на человека, появившегося за его столиком. Это был двойник.

— Ты давно не возникал, — мрачно сказал Глеб.
Двойник усмехнулся:

— Я был занят.

— Чем?

— Рылся в твоем подсознании.

— И что нашел?

— Ничего хорошего. — Двойник достал мятую пачку «Кэмэла», вытряхнул одну сигарету и повертел ее в пальцах.

— Ну? — иронично осведомился он. — И долго ты будешь ходить вокруг да около?

— Не понимаю, о чем ты.

— Вызови Машу на серьезный разговор. Объясни ей, что ты изменился. Что ты осознал, как сильно ее любишь. Попроси ее дать тебе шанс.

— Глупости.

Двойник прикурил от зажигалки, выпустил в лицо Глебу струйку дыма и улыбнулся:

— Глупости? Разве не об этом ты мечтаешь?

— О том, чтобы Маша связала свою жизнь с сумасшедшим? — Глеб покачал головой. — Нет.

— Ты не сумасшедший.

— Да ну?

— Шизофреники не считают, что они шизофреники.

— Думаю, что определенные подозрения бывают и у них.

Двойник дернул щекой.

— Брось, Глеб. Если человек разговаривает сам с собой, это еще не значит, что он сошел с ума. Господи, да все это делают! Пойми, не всякое сумасшествие — сумасшествие. Иногда это просто вариант нормы.

Глеб усмехнулся.

— А ты хитрее, чем я думал, — сказал он. — Но у тебя ничего не выйдет. Я не собираюсь портить жизнь своей любимой женщине.

— Ты ее уже испортил. И сейчас можешь все исправить. Позвони ей. Да не будь же ты дураком!

В лице Глеба что-то дрогнуло. Он достал из кармана мобильный телефон, включил его и нашел в справочнике номер Маши.

— Нажми на зеленую кнопку, — решительно произнес двойник. — Вспомни, как вы были счастливы. Вспомни Алешку. Ему нужен отец, а Маше — муж. И Митька скучает по тебе. Ты сделал их всех несчастными, но еще не поздно все исправить. Нажми на зеленую кнопку!

Несколько секунд Корсак смотрел на мобильник, как завороженный, потом опустил трубку и с досадой проговорил:

— Убирайся к черту!

— А ведь ты почти купился! Бедолага! — Двойник смахнул с глаз выступившие от смеха слезы. — Ох, Глеб, если бы ты только знал, как смешно наблюдать за душевными терзаниями спятившего грешника! Тут и в цирк ходить не надо!

Глеб полез в карман за таблетками. Двойник удивленно приподнял брови.

— Ого! — весело воскликнул он. — Шестая за день? Ты решил себя окончательно доконать?

Корсак, не слушая его, вытряхнул таблетку на ладонь и забросил ее в рот. Запил коктейлем. Двойник затянулся иллюзорной сигаретой, выпустил облачко иллюзорного дыма и сухо проговорил:

— Прежде чем ты это сделаешь, спроси меня: что произошло в охотничьем домике восемнадцать лет назад? Ты ведь хочешь это услышать?

— Я не был в охотничьем домике, — процедил Глеб сквозь зубы.

— Ты в этом уверен?

— Да.

Двойник снисходительно улыбнулся.

— Иногда ты бываешь слишком упрямым, чтобы признать очевидное.

Глеб проглотил вторую таблетку.

— Седьмая, — констатировал двойник. — Удивляюсь, как ты еще стоишь на ногах? Препарат помогает тебе избавиться от чувства вины?

Глеб закрыл глаза.

— Я не прощаюсь, — сипло сказал двойник. — И не забудь помыть руки... Кажется, они у тебя в крови.

Корсак еще пару минут сидел с закрытыми глазами. Потом открыл их и машинально посмотрел на свои руки, будто и впрямь ожидал увидеть на них кровь. Потом подозвал официанта и заказал себе еще один коктейль. Когда его принесли, Глеб залпом выпил полстакана и достал сотовый телефон. Набрать нужный номер было делом нескольких секунд.

— Слушаю! — донесся из трубки голос капитана Данилова.

— Стас, привет! — приветствовал его Глеб. — Это Корсак.

— Здравствуй, Корсак. Маши в кабинете нет.

— Я знаю. Хочу поговорить с тобой.

— О чем?

Глеб посмотрел на свою левую ладонь, линия жизни на которой обрывалась на половине, усмехнулся и сказал:

— Ты давно искал повод от меня избавиться, правда?

— Ну...

— Теперь он у тебя есть. Я хочу сделать признание.

Стас несколько секунд молчал, видимо, решая, стоит ли относиться к этому разговору серьезно, после чего уточнил:

— Какое признание?

— Признание в убийстве Екатерины Суховей и... еще нескольких человек.

— И Джона Кеннеди в довесок?

Глеб улыбнулся побелевшими губами.

— Это не шутка. Ты хочешь меня прищучить или нет? Второй раз предлагать не стану.

Стас Данилов снова помолчал. Потом произнес изменившимся голосом:

— Хорошо. Где ты сейчас?

— Где я — неважно. Скоро я буду у тебя в офисе. Выпиши на меня пропуск.

Глеб отключил связь и сунул мобильник в карман. Затем достал электронную сигарету. Некоторое время он смотрел на нее, потом скривил лицо и швырнул сигарету в пепельницу. Подозвал официанта и сказал:

— Пачку «Кэмэла» без фильтра. И счет. Пора мне расплатиться за все.

3

Пока Глеб сидел в кафе, на улице успело стемнеть. Было влажно, но ветер, неистово раскачивавший деревья днем, сейчас почти не ощущался. Дождь тоже прекратился. Корсак закурил крепкую сигарету, с наслаждением вдохнул дым, но тут же закашлялся. Легкие успели отвыкнуть от крепкого табака.

Глеб бросил недокуренную сигарету в лужу и направился к своей машине, даже не подумав о том, что садиться за руль после двух стаканов коктейля — не самая лучшая идея.

Однако в этот вечер ему не суждено было сесть за руль. У обочины стоял знакомый темный «Лексус».

— Кажется, это по твою душу, — насмешливо проговорил двойник рядом с Глебом.

Корсак покосился на него и с досадой констатировал:

— Таблетки не помогли.

— Угу. Ты знал, что этот миг рано или поздно наступит, верно?

Глеб снова посмотрел на «Лексус».

— Депутат Гурамов? — коротко спросил он.

— Да. А с ним — пара головорезов. — Двойник перевел насмешливый взгляд на Глеба. — Что будешь делать? Бежать?

Тот медленно покачал головой:

— Нет. Пора покончить с этим раз и навсегда.

— Скорее, они покончат с тобой, чем ты с ними.

— Посмотрим.

Двойник улыбнулся:

— Суицидальные наклонности добавляют тебе шарма!

Тонированное стекло «Лексуса» опустилось, и Глеб увидел морщинистое лицо депутата Шалвы Гурамова. Несколько секунд они молча смотрели друг на друга. Потом Гурамов отвернулся и что-то тихо сказал своим спутникам. В ту же секунду дверцы машины распахнулись, и из салона выбрались два гориллоподобных парня в черных кожаных куртках.

Они подошли к Глебу и остановились в паре шагов от него, оба чернявые, коротко стриженные, с непроницаемыми лицами. Один из них молча сунул руку в карман куртки и что-то достал.

— По-моему, это кастет, — сказал двойник. — Однажды тебе уже приходилось получать кастетом по лицу. Приятного мало.

— Помолчи, — велел Глеб, внимательно наблюдая за бандитами. — Ты меня отвлекаешь.

— Тогда ты отделался треснувшей челюстью. Но сейчас все может закончиться гораздо плачевнее. Эти горные козлы убьют тебя, Глеб.

— Пускай, — процедил Корсак сквозь сжатые зубы. — Не велика потеря.

— Тут я с тобой соглашусь.

Глеб криво ухмыльнулся:

— Может, ты наконец заткнешься?

— Заткнусь, когда эти ребята пробьют тебе голову, — сказал двойник.

— Я заткну тебя раньше.

— Как?

— Просто не буду тебя слушать, и ты исчезнешь.

— Ты уже пробовал. Но у тебя ничего не вышло.

— На этот раз выйдет. И можешь болтать, сколько пожелаешь!

Парни переглянулись. Один из них обернулся к «Лексусу» и громко сказал:

— Шалва Георгиевич, он сумасшедший! Он разговаривает сам с собой!

Глеб посмотрел на Гурамова и хрипло воскликнул:

— Темная сила! Слишком много тьмы! Мне не хватает света!

— Босс, нам заняться этим клоуном? — пробасил второй головорез.

Гурамов пристальнее вгляделся в лицо Глеба, в его блестящие расширившиеся глаза, судорожно сжатые, подергивающиеся губы.

— Не надо, — сказал Гурамов. — Кого Бог хочет наказать, того он лишает разума.

— Но...

— Он уже наказан. В машину! — приказал депутат своим костоломам.

Те послушно вернулись, быстро подошли к «Лексусу» и скрылись в его темной урчащей утробе.

Гурамов еще раз внимательно оглядел Корсака.

— Жаль, — сказал он. — Печально, когда умный человек превращается в развалину.

Глеб пошатнулся. Потом опустился на асфальт и обхватил голову руками.

— Мы за ним вернемся? — спросил Гурамова один из помощников.

— Только если он выздоровеет. В чем я лично сильно сомневаюсь. Трогай! — приказал он водителю.

«Лексус» тронулся с места и покатил прочь, быстро набирая скорость.

— Кажется, я только что спас тебе жизнь, — сказал двойник.

Глеб не отозвался.

— Призраков не существует, — хрипло произнес он, рассуждая вслух, а не отвечая двойнику. — Мертвецы не оживают. Их не окликнешь, не увидишь, с ними не поговоришь, даже по телефону.

Внезапно по его бледному лицу пробежала судорога.

— Или поговоришь? — взволнованно произнес Глеб. — Плоть и кровь... Плоть и кровь...

Двойник смотрел на него сочувственно.

— Плохи твои дела, Глеб Олегович, — сказал он. — Сумасшествие приводит к распаду личности. И наблюдать за этим грустно.

Глеб по-прежнему его не слушал. Подрагивающей рукою он достал из кармана мобильник. В глазах у него двоилось. Он тряхнул головой и попытался сконцентрироваться.

— Это не поможет, — с сожалением сообщил двойник. — Ты выпил слишком много таблеток. Теперь пришло время расплачиваться.

Глеб трясущимся пальцем нажал на кнопку и вызвал меню контактов. Имена расплывались у него перед глазами. Он приблизил телефон к лицу и прищурился, силясь отыскать среди прыгающих и раздваивающихся записей имя «Маша».

— Говорю тебе — это бесполезно, — продолжал гнуть свою линию двойник.

Глеб нажал на зеленую кнопку. На пару секунд он нырнул в пропасть, потеряв сознание, но все-таки смог выбраться из этой мрачной глубины и услышать короткие гудки.

Тогда он отвел телефон от уха и нажал на кнопку «Создать сообщение».

— Хочешь заразить ее своим сумасшествием? — улыбнулся двойник. — Валяй, заражай!

Глеб в его сторону даже не взглянул. Изо всех сил пытаясь удержаться на плаву, он набил пальцем сообщение. Три слова. На четвертом палец его соскользнул с экрана, и оно осталось недописанным. Теряя сознание, Корсак успел нажать на кнопку «Отправить». Затем трубка выпала у него из рук.

Глеб сидел на асфальте, глядя перед собой пустыми глазами. Тьма победила.

4

— Ну, что? — спросил Стас, сидя на краю стола с чашкой кофе в руке.

— Телефон абонента выключен, — ответила Маша. — Где же он?

— Может, поехал еще кого-нибудь убить? — иронично предположил Стас.

Маша бросила на него строгий взгляд.

— Стасис, это бред. Глеб никого не убивал. Он вообще в этом не замешан.

Капитан Данилов пожал плечами:

— Он мне сам позвонил. Сказал, что убил Екатерину Суховей и еще кого-то. Полагаю, он имел в виду Игоря Пряшникова и Артура Ройзмана. Он ведь не сумасшедший, чтобы понапрасну брать на себя такую вину?

— Может, он хотел тебя разыграть? — предположил Толя Волохов. — У Глеба странное чувство юмора. Я часто его не понимаю.

— Ты не самый понятливый человек на свете, Толян.

— А ты — не самый тактичный, Стас.

Коллеги мило друг другу улыбнулись. На столе зазвонил телефон для внутренней связи. Маша сняла трубку.

— Мария Александровна, это полковник Жук, — услышала она ровный, лишенный всякого намека на какие-либо эмоции голос Старика.

— Слушаю вас, Андрей Сергеевич.

— Мария Александровна, я получил ответ из Лиссабона. По поводу Виталия Борзина. Со мной связалась сержант сто пятого полицейского участка Габриэла Варгас.

— Да. — Маша посмотрела на Стаса и сделала круглые глаза. — И что там?

— Сеньора Варгас оставила свои координаты и хочет поговорить с вами по «Скайпу».

— Но я...

— Она будет говорить по-английски. Насколько я знаю, вы владеете этим языком.

— На уровне институтского курса.

— Значит, сможете ее выслушать и задать необходимые вопросы. Запишите ее адрес и свяжитесь. Она ждет возле своего компьютера.

— Минуту, Андрей Сергеевич, я войду в «Скайп».

— Хорошо, я подожду.

Маша положила трубку и взглянула на Волохова.

— Толя, мне нужнее компьютер!

— Нет проблем.

Он тут же уступил ей свое место за столом. Маша села перед компьютером, открыла программу «Скайп». Поднесла телефон к уху.

— Андрей Сергеич, я в «Скайпе». Диктуйте адрес.

Полковник Жук продиктовал, Маша вбила в «Поиск» и через несколько секунд получила результат.

— Удачи! — пожелал полковник Жук.

— Спасибо, Андрей Сергеич!

Маша передала трубку Толе и склонилась над клавиатурой компьютера. Быстро добавила новый контакт и нажала на кнопку «Видеозвонка».

Несколько секунд раздавалось курлыканье сигнала вызова. Затем компьютер булькнул, и на экране появилась коротко стриженная женщина с худощавым смуглым лицом.

— Hello! — приветствовала Маша свою собеседницу. — I'm Мария Любимова. — Colonel Андрей Жук asked me to contact you.

— Hi! I am Gabi! You are interested Vitaly Borzin. I am ready to answer your questions.

— Здорово шпарит, — похвалил Данилов, по-прежнему сидя на краю стола.

— Да, — поддакнул Волохов. — И где только нахваталась?

Маша сделала им знак рукой помалкивать и снова повернулась к экрану.

— Gabi, the first question is...

И между двумя женщинами-полицейскими завязалась оживленная беседа, которая продлилась около двадцати минут. Наконец Маша распрощалась с португальской коллегой, выключила «Скайп» и откинулась на спинку стула.

Вид у нее был озабоченно-задумчивый.

— Маш, — негромко окликнул ее Стас.

— Что? — вышла она из задумчивости.

Он протянул ей чашку с горячим кофе.

— Держи! И расскажи обо всем нам. Сеньора Боргес так тараторила, что я мало что понял.

Маша взяла чашку.

— Спасибо, Стасик! — Она отпила глоток и поморщилась. — Сахар-то зачем? Я ведь пью без него.

— Ничего, — с усмешкой сказал Стас. — Немного сахара тебе не повредит. Мозги будут лучше работать. Так что она рассказала?

Маша сделала еще один глоток и приступила к пересказу.

— Дипломат Виталий Борзин мертв. Его труп обнаружили пять дней назад, но опознали только вчера. При нем не было документов, — пояснила Маша. — Погиб он жуткой смертью: снял номер на двенадцатом этаже отеля, обвязал шею стальной струной от карниза, а затем выпрыгнул в окно.

Волохов вздохнул:

— Повесился, значит.

— Не совсем. Струна срезала ему голову. В отеле он зарегистрировался под именем Виталио Боргес. Друзья и коллеги Борзина утверждали, что в последние дни он пребывал в страшной депрессии. В кармане у Борзина — после его гибели, разумеется — нашли листок бумаги с надписью по-русски «Моя вина».

Маша сделала глоток кофе, потом еще один и облизнула губы.

— Лиссабонские копы вскрыли электронный почтовый ящик Борзина, — продолжила она. — Среди удаленных писем нашли странные послания. На них не было ничего, кроме портрета женщины, сотканного из букв «к» и «с».

— Как при вышивке крестиком? — уточнил Толя.

— Да, примерно.

— Катя Суховей, — медленно произнес Стас.

Маша кивнула:

— Да. Скорей всего. Виталий Борзин получил несколько десятков подобных писем. Он стирал их, удалял, отправлял в корзину, но они приходили снова и снова. Габриэла установила, что все письма пришли из Москвы. Первое было отправлено двенадцатого сентября. Примерно через две недели после того, как Андрей Темченко пришел в себя.

Толя и Стас переглянулись.

— Темченко не мог отправить эти письма, — сказал Волохов. — Он был еще слаб. Да и компьютером пользоваться не умел.

— Не умел, — согласилась Маша. — И все же Борзин стал получать письма после пробуждения Темченко. Не год, не два, не десять лет назад, а именно после его выхода из комы. Так что связь здесь очевидная. Хотя мы пока и не понимаем ее смысла.

Маша отпила еще кофе, поставила чашку на стол и потянулась за мобильником.

— Опять Глеба? — хмуро спросил Стас.

— Да.

Маша набрала номер, прижала трубку к уху.

— Ну? — спросил Толя.

Она вздохнула:

— Телефон абонента отключен или находится вне действия сети.

— Не волнуйся за него, — с едкой усмешкой сказал Стас. — Этот шутник не пропадет.

— Этот «шутник» помог тебе раскрыть несколько запутанных дел, — сказала Маша. — И он был моим мужем.

— Я полагаю, что ключевое слово здесь «был», — огрызнулся Стас.

— А я полагаю, что тебе лучше заткнуться, дружище, — миролюбиво сказал ему Волохов.

Маша улыбнулась:

— Спасибо, Толя.

— Не за что. Всегда рад дать отпор злопыхателям.

Маша вдруг нахмурилась, потом сняла крышку телефона и вынула сим-карту.

— Толь, подай мою сумку, — попросила она.

Волохов взял со стула сумочку и протянул ей. Она порылась в ней и достала из кармашка потертую старую сим-карту. Стас и Толя следили за ее действиями с любопытством.

Маша тем временем вставила в телефон старую сим-карту и защелкнула крышку.

— Эта симка для звонков за границу, — пояснила она коллегам. — Там удобный тариф.

— С какой стати Корсаку звонить тебе на этот номер? — скептически произнес Стас.

— Мало ли...

Маша включила телефон и взглянула на озарившийся светом экран.

— Ну? — без особого энтузиазма поинтересовался Толя.

— СМС-сообщение! — ответила Маша. — От Глеба!

Она нажала на кнопку.

ОНА ЗВОНИЛА ПО ТЕЛЕФ

На этом запись обрывалась. Маша повернула мобильник экранчиком к коллегам и дала им прочесть сообщение.

— И что это значит? — спросил Стас.

— Понятия не имею. — Маша повернула трубку к себе и задумчиво перечитала сообщение.

— Почему Глеб послал сообщение именно на этот номер? — спросил Толя.

— Не знаю, — ответила Маша, глядя на экран. — Наверное, у него в контактах оба моих номера стоят рядом. — На пару секунд она замерла, а затем вдруг сказала: — Я поняла!

Она подняла взгляд на коллег. Ее глаза возбужденно блестели.

— Я поняла! — снова воскликнула она. — Черт! Как я сразу не догадалась!

— Да что поняла-то? — озадаченно спросил Стас.

— «Моя плоть и кровь! Остался еще один — убей его!»

— И что?

— А то, что старуха Суховей говорила не с умершей дочерью. Не с Катей.

— А с кем?

— Это был телефонный разговор! — сказала Маша. — Простой телефонный разговор, понимаешь? Она не камлала, не колдовала, не заклинала, она просто *говорила по мобильному*.

— С кем? — снова спросил Стас.

Маша вскочила со стула, стремительно бросилась к вешалке и сорвала с нее плащ.

— Едем! — крикнула она. — У нас мало времени! По пути все объясню!

5

Элитная клиника, где лежал Андрей Темченко, больше походила на загородный пансионат, куда люди приезжают просто отдохнуть. Чистые ковровые дорожки, новенькие панели на стенах, улыбчивые лица врачей и медсестер — все выглядело так, словно смерть никогда сюда не заглядывала.

Едва миновав пост охраны, Маша, Толя и Стас двинулись к палате номер одиннадцать. Возле двери на стуле сидел полицейский в форме. Голова его бессильно свесилась на грудь.

— Лейтенант! — окликнула его Маша, остановившись рядом.

Полицейский не отозвался. Толя тряхнул его за плечо. Фуражка слетела с головы лейтенанта и упала на пол, но сам парень не проснулся. Маша быстро провела пальцем по его шее.

— След от укола! — коротко сказала она.

— Вижу! — ответил Стас.

И первым шагнул к двери палаты. Распахнул ее, стремительно вошел внутрь и — замер на месте. Маша едва не наткнулась на его спину.

— Пусто! — сказал Стас.

Маша прошла мимо него, приблизилась к кровати, обшарила одеяло, нагнулась и заглянула под матрас.

— Его нет!

Из палаты она вышла первой, за ней Стас, а за ним Волохов. По коридору шел доктор Чурсин.

— Где Темченко? — громко спросила Маша.

Он остановился и удивленно уставился на оперативников.

— Темченко?

— Да, Андрей! — рявкнул Стас. — Где он?

— В палате, разумеется, — растерянно сказал Чурсин.

— В палате его нет, — отрезала Маша.

— Он должен быть там.

— Кто мог вывезти его из палаты? — спросила она.

Чурсин открыл от удивления рот, потом, пришел в себя, поправил пальцем очки и ответил:

— Никто.

— А если подумать? — резко спросил Стас.

— Вероятно, кто-то из медсестер, — неуверенно предположил Чурсин.

— Вы про пациента Темченко? — раздался из-за спины Волохова низкий женский голос.

Четыре пары глаз устремились на полную розовощекую медсестру.

— Да! — сказала Маша. — Вы его видели?

— Я видела, как Лиза Пояркова ввозила его в лифт. Она объяснила, что ему нужен свежий воздух.

— Почему мне не доложили?! — взвился доктор Чурсин.

Медсестра растерянно моргнула.

— Евгений Борисович, Темченко сам ее попросил, — испуганно пробормотала она. — Он... боялся, что вы не разрешите.

— Черт знает что такое! — выругался Чурсин. — Пациенты и медсестры плетут заговоры против врача! Не клиника, а разбойничий вертеп!

Маша вновь взглянула на медсестру.

— Куда она его повезла? — быстро спросила она. — На больничный дворик?

— Нет, — пробормотала та. — На крышу.

— На крышу?

— Там у нас есть небольшая площадка для солнечных ванн, — пояснил доктор Чурсин. — Мы изредка в хорошую погоду вывозим туда лежачих больных. Но мы никогда не делаем этого ночью!

— Показывайте дорогу!

Ночь выдалась пасмурная и безветренная, небо было затянуто белесыми тучами. Воздух, казалось, разбух от влаги.

Когда они выбежали на площадку для солнечных ванн, Темченко был еще жив. Лиза Пояркова держала его коляску на краю крыши. Перила были выломаны ударом коляски, ее передние колеса перевесились через край и зависли над пустотой.

— Лиза! — изумленно окликнул Чурсин. — Что ты делаешь? Немедленно откати коляску назад!

Девушка повернулась и посмотрела на доктора безучастным взглядом.

— Лиза, не делайте этого! — крикнула Маша Любимова.

Толя и Стас переглянулись, после чего Волоков шагнул вперед, а Стас, укрывшись за его широченной спиной, пригнувшись, бесшумной тенью перебежал за трубу воздуховода.

Маша подняла перед собой руку в предостерегающем жесте.

— Лиза, мы все знаем! Месть — не лучший способ обрести покой!

— Вы меня не остановите! — ответила медсестра.

Голос ее звучал отрешенно, как у человека, который давно-давно принял трудное для себя решение и успел к нему привыкнуть.

— Он умрет! — отчеканила она.

Темченко был бледен. Казалось, он превратился в восковую куклу и потерял от ужаса дар речи.

Толя Волохов двинулся было вперед, но Маша удержала его.

— Екатерина Суховей была твоей матерью, верно? — спросила она.

— Да, — ответила Лиза.

— И теперь ты мстишь за нее. Но это не выход. Убив Андрея, ты не воскресишь свою мать.

Маша осторожно сделала шаг вперед. Девушка это заметила.

— Стойте, где стоите! — крикнула она.

Любимова остановилась.

— Господи! — страдальчески воскликнул доктор Чурсин. — Кто-нибудь объяснит мне, что здесь происходит?

Лиза холодно усмехнулась.

— Вы хотите объяснений? Пожалуйста. Мне было всего пять лет, когда мама уехала. Она мне звонила. Каждый день. Я молилась ночами напролет, чтобы она поскорее вернулась. Я так ждала ее... А потом все закончилось.

Темченко приподнял голову и произнес сиплым голосом:

— Не останавливайте ее... Она все правильно делает. Я... — Он сглотнул слюну. — Я это заслужил. — Он скосил глаза на девушку и пробормотал: — Сделай это, Лиза.

Она кивнула и двинула коляску вперед.

Гулко грянул выстрел. Лиза замерла. Потом хрипло кашлянула, и изо рта у нее вылетел сгусток крови. Стас выскользнул из-за трубы воздуховода, в руках он сжимал пистолет.

Лиза выпустила коляску и упала на колени. Данилов, подобно черной кошке, метнулся к коляске и успел схватить ее за раму. На помощь подоспел Толя Волохов. Одной рукой он сжал поручень коляски, а другой — схватил Темченко за шиворот. Совместными усилиями они вытянули Андрея и швырнули его на крышу рядом с неподвижным телом Лизы.

— Живой? — спросила Маша.

— Живой, — ответил за него Волохов.

Маша перевела взгляд на Лизу Пояркову, рядом с которой присел Стас.

— А она?

Стас убрал руку от шеи девушки, посмотрел на Машу и покачал головой:

— Нет.

6

Андрей Темченко лежал на кровати. О нем уже позаботились, сломанную ногу водрузили на рамку, вкололи нужные препараты, поставили капельницу, вставили носовые катетеры для подачи кислорода. Он был не так смертельно бледен, как на крыше, но все еще выглядел плохо. Тело Лизы Поярковой увезли в морг. Доктор Чурсин стоял у двери, хмуро глядя на оперативников, сидящих возле кровати. Лицо его было мрачнее тучи.

Все молчали, поскольку Маша держала возле уха мобильный телефон и напряженно ждала отклика. Прошла секунду, другая. Маша вздохнула и опустила трубку.

— Не отзывается? — участливо спросил Волохов.

Маша покачала головой:

— Нет.

— Не волнуйся, Глеб не пропадет. Наверное, сидит сейчас в каком-нибудь «закрытом клубе» для жуликов и обыгрывает их в покер.

— Надеюсь.

Маша взглянула на Темченко.

— Вы можете говорить? — спросила она.

333

— Да, — тихо ответил он.

— Как вы себя чувствуете?

— Плохо. Но лучше, чем Пряшников и Ройзман.

Стас ухмыльнулся. Толя Волохов кашлянул в огромный кулак. Доктор Чурсин снял очки и принялся протирать их носовым платком.

— Вы сказали, что все вспомнили, — продолжала Маша. — Думаю, пришло время рассказать нам о событиях той ночи во всех подробностях. Если, конечно, вы в состоянии это сделать.

— Да, — пробормотал Темченко. — Я расскажу.

Он закрыл глаза и несколько секунд лежал молча, то ли собираясь с силами, то ли восстанавливая в памяти картины прошлого. Потом открыл глаза и заговорил тихим, сдавленным голосом:

— Со Светой я был знаком, почти год. Мы встречались пару раз в месяц. Я... платил ей за секс. Когда понадобилась девушка для мальчишника, я предложил Свете поехать со мной. Она согласилась. Потом я сообразил, что одной девушки для вечеринки будет мало. И сказал об этом Светлане. Она позвонила своей подруге и обо всем договорилась... Мы заехали за Катей, а потом все вместе поехали в лес.

Говорил Темченко размеренно и спокойно — словно о чем-то очень далеком, почти нереальном и совершенно для него постороннем.

— Когда мы приехали, парни уже были там, — продолжил он. — Поначалу все шло хорошо. У нас с собой был ящик портвейна. Мы здорово надрались. — Андрей едва заметно усмехнулся. — Мы привязали Игоря к стулу, так, как это делают в американских фильмах... Света с Катей устроили ему стриптиз... Мы от души повеселились.

— Простите, что отвлекаю! — подал голос доктор. — Может быть, на этом мы сегодня закончим? Пациент устал. Он пережил сильный стресс.

Темченко скосил глаза на Чурсина и сказал:

— Все в порядке, доктор. Я не устал.

— И все же...

— То, что он рассказывает, очень важно для следствия, — вмешалась Маша. — Дайте нам еще пару минут.

Чурсин вздохнул.

— Хорошо. Но только пару.

Маша предложила Темченко:

— Продолжайте.

Он помолчал немного, собираясь с силами, потом заговорил.

— Виталик запал на Катю... Он предложил ей подняться на чердак.

— И подкрепил свое предложение деньгами? — уточнил Стас.

— Да, — ответил Темченко. — Не помню, сколько он ей дал. Баксов сто или больше... Они ушли. А мы продолжили веселье и еще немного выпили. А потом... Потом мы услышали крик.

Темченко остановился. Сглотнул слюну и перевел дух. Когда он снова заговорил, голос его звучал тише, а на лице, до сих пор бесстрастном, отразилось страдание.

— Мы услышали топот... Виталик сбежал по лестнице вниз. Все сразу поняли: что-то не так. Он был напуган. Мы дали ему воды. Он выпил и сказал, что Катя умерла.

Темченко снова сделал паузу.

— Как умерла? — спросил Волохов. — Из-за чего?

Андрей повернул голову, посмотрел на широкое простодушное лицо Толи и сказал:

— Виталик ее убил. Он выпил лишнего, был агрессивен... Катя сопротивлялась... Он вошел в раж, схватил ее за горло... Когда опомнился, Катя уже не дышала.

Темченко замолчал. Несколько секунд никто не произносил ни слова, потом Маша негромко спросила:

— И тогда вы решили избавиться от тела?

— Мы вынесли ее на крыльцо. Пытались сделать искусственное дыхание... Но потом... потом мы поняли, что это уже не поможет. — Андрей сглотнул слюну. — Если бы все открылось...

— На ваших карьерах можно было бы поставить крест?

— Да. — Он облизнул языком подрагивающие от волнения губы. — Мы вынуждены были все скрыть.

— Как вы уговорили Светлану? Запугали ее?

— Да. Виталик сказал, если она кому-нибудь расскажет, он найдет ее и под землей. И еще мы дали ей денег. Все, что у нас было с собой.

Тонкие пальцы Маши сжались в кулаки.

— Что произошло потом? — сухо спросила она.

— Мы хотели закопать тело. Но Света сказала, что так нельзя. Нельзя... потому что Катя — ведьма. И она может вернуться за нами с того света.

— И вы ей поверили? — усмехнулся Стас.

— Мы были напуганы, — пояснил Темченко. — И растеряны. Мы могли тогда поверить во что угодно.

— Вы с детства увлекались мистикой, — сказала Маша. — Полагаю, вы помогли вашим недоверчивым друзьям поверить в слова Светланы. Верно?

— Верно, — кивнул Андрей. — Я убедил их, что Света права и нужно все сделать по правилам, то есть сжечь ведьму. Мы все были на взводе... Труп, ночь, страшный лес вокруг... Все это походило на кошмарный сон. Виталик притащил из машины канистру с бензином. Сам облил тело и поджег. А мы... Мы просто стояли и смотрели.

— Стояли и смотрели, — тихо и задумчиво повторила Маша.

Глаза Темченко заблестели.

— Если бы все открылось, нам бы не смогли помочь даже родители! И потом, она ведь все равно умерла. Наше признание не смогло бы ее оживить.

— Что было дальше?

— Пламя перекинулось на дом. Все загорелось. А потом... Господи! — вырвался у Андрея тяжелый вздох.

— Что? — быстро спросила Маша. — Что было потом?

— Она... она оказалась жива, — проговорил Темченко, чуть не плача. — И она поползла с крыльца — горящая! Мы стали кричать. Света кинулась к ней, хотела потушить, но Виталик схватил ее.

Было поздно, понимаете? Мы ее уже не могли спасти!

— И что вы сделали? — спросила Маша. — Что вы сделали дальше?

— Мы сели в машины и уехали оттуда.

— Но ты вернулся? — снова вступил в разговор Стас. — Ты туда вернулся, да?

— Да! — почти выкрикнул Темченко.

— Почему?

— Потому что все нужно было сделать по правилам! — Андрей закашлялся, доктор Чурсин двинулся было к нему, но Стас жестом остановил его.

— Дальше! — потребовал он.

— У меня был с собой охотничий нож, — хрипло сказал Темченко. — Я нашел подходящую палку, заострил ее... И не ошибся. Я не ошибся, понимаете? Когда я вернулся, она была еще жива! Ведьма была жива! Она вся обгорела... Она тлела, от нее шел дым...

— И что ты сделал?

— Я вбил ей в грудь кол. А потом отрезал голову и зашвырнул ее подальше в лес.

— Зачем? — покрывшись испариной от ужаса, спросил Волохов.

— Чтобы она не смогла найти ее.

— Больной ублюдок, — пробасил Толя.

Темченко засмеялся. Но в следующую секунду смех сменился кашлем, Андрей стал задыхаться. Доктор Чурсин бросился к кровати.

— Позовите сестер! — крикнул он. — Быстро! Всех, кого найдете!

7

Маша посмотрела на морщинистое гладко выбритое лицо полковника Жука и сказала:

— Андрей Сергеевич, подробностей, боюсь, мы никогда уже не узнаем. Но в целом ситуация ясна. Восемнадцать лет назад Екатерина Суховей отправилась в Москву вместе со Светланой Паскевич. Подруги работали девушками по вызову. Потом четверо мерзавцев убили Катю в лесном домике и сожгли ее тело. Анна Суховей, кулебовская повитуха и мать Кати, пыталась разыскать свою дочку, но бесполезно. Год спустя Игорь Пряшников, один из тех четырех парней, покончил жизнь самоубийством. Возможно, его замучила совесть. Но у меня есть и другая версия.

— Какая?

— Анна Суховей все-таки сумела кое-что разузнать. Вполне может быть, что она нанесла Пряшникову визит. Тут есть один важный нюанс: Катя была очень похожа на свою мать. Возможно, открыв дверь и увидев Анну, Пряшников испугался. Он и впрямь мог подумать, что убитая «ведьма» вернулась за ним.

— Да. Вполне правдоподобная версия, — согласился полковник Жук. — Но как внучка Анны Суховей оказалась в больнице?

— Я беседовала с монахинями из Спасо-Белозерского монастыря. Они рассказали, что два года назад сестру Ангелину навестила какая-то девушка. Между ними произошел разговор. Монахини утверждают, что сестра Ангелина выглядела напуганной. Думаю, что той таинственной девушкой была Лиза. Не знаю, как она смогла разыскать сестру Ангелину. Хотя это не так уж и сложно.

— Вы думаете, сестра Ангелина рассказала ей про Андрея Темченко?

— Уверена, что так. Других парней она просто не знала. Ни их фамилий, ни адресов. Андрей стал единственной зацепкой для Лизы Суховей. Она сменила фамилию, раздобыла сертификат медсестры и устроилась на работу в частную клинику, где лежал Темченко. А потом стала ждать. И прождала полтора года. Андрей Сергеич, можно водички? Что-то в горле пересохло.

— Да, конечно. Я вам налью.

Полковник Жук протянул руку, взял со стеллажа чистый стакан и графин с водой.

— Она всегда была рядом с Темченко, — продолжила Маша, пока полковник наполнял водой стакан. — Так она узнала имена остальных парней.

— И принялась за осуществление плана?

— Да.

— Держите!

Маша взяла протянутый стакан и сделала несколько глотков. Поставила его на стол.

— Спасибо, Андрей Сергеич! Подробностей мы никогда не узнаем, да они и не важны. Мы знаем, что Лиза встретилась с Ройзманом в гостинице и убила его. Виталий Борзин был в Португалии, Лиза не могла до него добраться, поэтому она поступила тоньше.

— Психологическая обработка?

Маша кивнула:

— Да.

— Но как она сумела?

— Вот это самое интересное. Дело в том, что два года назад Елизавета Суховей с отличием закончила Киевский медицинский университет по специальности психиатрия. Она была лучшей на курсе, но некоторым преподавателям не нравилось ее стремление объединить традиционные методики с тем, что принято называть «нетрадиционной медициной». Лиза владела гипнозом, увлекалась трансперсональной[1] психологией и так далее. Мы установили, что она не только посылала Борзину письма по электронной почте, но и звонила ему. Девять звонков за четыре дня. Каждый разговор длился около десяти минут. О чем они говорили, нам не известно, но результата она добилась. Виталий Борзин покончил с собой.

Маша вздохнула:

— Она отомстила за мать. А старуха Суховей отомстила за дочь. У них все получилось.

— Но Андрей Темченко жив, — напомнил полковник Жук.

— Доктор Чурсин сказал, что это ненадолго. Состояние Темченко крайне тяжелое, и стабилизировать его вряд ли удастся. Через день или два он умрет.

---

[1] Трансперсональная психология — течение в психиатрии, которое занимается изучением измененного сознания и религиозного опыта.

— Н-да... — Старик задумчиво сдвинул брови и побарабанил по столу пальцами. — И снова встретится с Лизой. Ему не позавидуешь.

Маша слегка опешила. Но полковник Жук тут же усмехнулся.

— Простите мне мой черный юмор. Просто я подумал, что если ад существует, то этой встречи им не избежать. Оформляйте дело для передачи в Следственный комитет, Мария Александровна. А потом возьмите денек или два в счет отпуска. Вам надо хорошенько отдохнуть.

8

Двумя часами позже Маша Любимова и Стас Данилов сидели в уютном кабинете директора психиатрической клиники. Сам директор Макарский, сутуловатый, с длинными волосами, тронутыми сединой, с трубкой во рту, расхаживал по кабинету, заложив руки за спину, и вещал:

— Если сказать коротко, то организм вашего друга отравлен наркотиком. А еще его мучает чувство вины.

— Так он теперь псих? — уточнил Стас, наблюдая из глубокого, мягкого кресла за перемещениями психиатра.

Макарский пыхнул трубкой и вежливо улыбнулся:

— Я бы не использовал подобные слова.

Маша заметила, что, когда он вынимал изо рта трубку, на лацкан его светлого пиджака упала крошечная горстка пепла. Психиатр тоже это заметил и неторопливо смахнул его.

— Я провел с ним курс регрессивного гипноза и обнаружил еще кое-что, — продолжил он. — У Глеба Корсака парамнезия, спровоцированная сильнейшим стрессом и усугубленная приемом наркотиков.

— Парамнезия? — переспросила Маша. — Что это значит?

— Расстройство памяти, выражающееся в ложных воспоминаниях. Смешение прошлого и настоящего, а также реальных и вымышленных событий.

Маша нахмурила лоб, пытаясь осмыслить услышанное.

— То есть... у Глеба фальшивые воспоминания?

Макарский кивнул:

— Да. Так бывает, когда пациент воспринимает ситуацию, о которой услышал или прочитал, как часть собственной жизни.

— И какое фальшивое воспоминание не дает Глебу покоя? — поинтересовался Стас.

Психиатр посмотрел на него и ответил:

— Глеб уверен, что он вогнал кол в грудь какой-то женщине, а потом сжег ее.

Маша побледнела.

— Но это неправда, — сказала она.

Доктор вежливо улыбнулся:

— Я знаю. И он это знает. Разумом он это понимает, но вот эмоционально... — Макарский вздохнул. — Пытаясь спастись от чувства вины и от своих фальшивых воспоминаний, Глеб как бы отделил от себя свою болезнь, персонифицировав ее. Его воображение создало двойника.

— Вы хотите сказать, что у Глеба раздвоение личности? — деловито уточнил Стас.

Макарский задумчиво покачал головой:

— Не совсем так. Вторая личность — это он сам. Что-то вроде отражения в кривом зеркале.

— И как это вылечить?

Доктор вздохнул.

— Разбить «кривое зеркало». Это было бы несложно, но есть еще один неприятный сопутствующий фактор.

— Какой?

— Я обнаружил у него признаки конфабуляции[1]. Глеб переживает одно из воспоминаний детства так, словно это случилось совсем недавно.

— И что за воспоминание? — спросила Маша, заранее зная ответ на свой вопрос.

— Смерть учительницы, которая произошла прямо во время урока, — ответил психиатр.

— Он и в этом себя винит? — удивился Стас.

Макарский кивнул:

— Да.

— Это излечимо? Он придет в норму?

— Я на это надеюсь. Психотерапия, гипноз... Кроме того, мы проводим замещающую терапию, чтобы избавить его от наркотического пристрастия. Думаю, у вашего друга есть все шансы на выздоровление.

---

[1] К о н ф а б у л я ц и я — пересказ больным ложных воспоминаний.

— Я могу его увидеть? — спросила Маша напряженным голосом.

— В данный момент Глеб Корсак находится под влиянием сильных седативных препаратов, — сказал психиатр. — Вряд ли вам захочется видеть его таким.

Десять минут спустя Стас и Маша вышли на улицу и направились к машине.

— Я всегда знал, что по Корсаку плачет дурдом, — заявил Стас.

Маша резко остановилась. Он тоже.

— Стас, ты специально это говоришь, чтобы побольнее меня ранить? — спросила Маша.

Она произнесла это с горечью, почти жалобно, но Данилов остался спокоен и холоден.

— Иногда приходится делать человеку больно, чтобы вылечить его, — изрек он. Потом добавил уже более мягко: — Маша, ты его не любишь. И никогда не любила. Он был твоим ярким увлечением. Но яркие цвета быстро приедаются.

— Ты теперь психолог? — язвительно осведомилась Маша.

Стас покачал головой:

— Нет. Просто я очень хорошо тебя знаю.

Он взял ее за плечи и повернул к себе. Несколько секунд они смотрели друг другу в глаза, и Маша не делала попыток высвободиться. Стас понял это по-своему.

— Я буду любить тебя и никогда не брошу, — сказал он. — Дай мне шанс, и я попытаюсь сделать тебя счастливой. Без сумасбродств и нервотрепок.

Маша усмехнулась.

— Ты предлагаешь мне скучную, но счастливую жизнь? — уточнила она.

— Да, — твердо ответил Стас. — Только такая жизнь и бывает счастливой.

Несколько секунд она размышляла. Потом сказала:

— Наверное, ты прав. Именно о такой жизни стоит мечтать.

Стас прижал Машу к себе и поцеловал в губы. Она не сопротивлялась. Он хотел поцеловать ее еще раз, но она высвободилась из его объятий. Потом подняла голову и посмотрела на мрачное здание психбольницы. В окне третьего этажа она увидела Глеба. Он стоял и смотрел на них. Маша оттолкнула от себя Стаса.

И снова он понял это по-своему.

— Если ты скажешь, что мне надо подождать, я подожду, — заявил Данилов.

— Идем в машину, — сухо обронила Маша.

Стас пожал плечами и двинулся к машине. Шел он, ссутулившись, сунув руки в карманы кожаной куртки. Маша задумчиво посмотрела на его спину, потом бросила взгляд на окно. Глеба там уже не было. Несколько секунд Маша размышляла, затем негромко окликнула:

— Подожди меня!

И быстро нагнала Стаса.

Оглавление

Пролог.. 5

Глава 1. ПРОБУЖДЕНИЕ 14

Глава 2. РАЗДВОЕНИЕ 34

Глава 3. ЧЕРНЫЙ ЛЕС 64

Глава 4. ФОТОГРАФИЯ 96

Глава 5. МИЗГИРЬ 125

Глава 6. ИКОНА 172

Глава 7. КОШМАРЫ 199

Глава 8. КУЛЕБОВКА 229

Глава 9. СХВАТКА 303

Литературно-художественное издание

ДЕТЕКТИВ-ЛАБИРИНТ Е. и А. ГРАНОВСКИХ

Евгения Грановская, Антон Грановский
ВЕДЬМА ПРИДЕТ ЗА ТОБОЙ

Ответственный редактор *А. Антонова*
Редактор *Т. Семенова*
Художественный редактор *С. Груздев*
Технический редактор *Ю. Балакирева*
Компьютерная верстка *И. Ковалева*
Корректор *Н. Сикачева*

ООО «Издательство «Эксмо»
127299, Москва, ул. Клары Цеткин, д. 18/5. Тел. 411-68-86, 956-39-21.
Home page: **www.eksmo.ru** E-mail: **info@eksmo.ru**

Өндіруші: Издательство «ЭКСМО»ЖШҚ, 127299, Мәскеу, Ресей, Клара Цеткин көш., үй 18/5.
Тел. 8 (495) 411-68-86, 8 (495) 956-39-21
Home page: www.eksmo.ru E-mail: info@eksmo.ru.
Тауар белгісі: «Эксмо»
Қазақстан Республикасында дистрибьютор және өнім бойынша арыз-талаптарды
қабылдаушының
өкілі «РДЦ-Алматы» ЖШС, Алматы қ., Домбровский көш., 3«а», литер Б, офис 1.
Тел.: 8(727) 2 51 59 89,90,91,92, факс: 8 (727) 251 58 12 вн. 107; E-mail: RDC-Almaty@eksmo.kz
Өнімнің жарамдылық мерзімі шектелмеген.
Сертификация туралы ақпарат сайтта: www.eksmo.ru.certification.

Өндірген мемлекет:
Сертификация қарастырылмаған

Сведения о подтверждении соответствия издания согласно
законодательству РФ о техническом регулировании можно получить
по адресу: http://eksmo.ru/certification/

Подписано в печать 21.06.2013. Формат 84x108 $^1/_{32}$.
Гарнитура «Гарамонд». Печать офсетная. Усл. печ. л. 18,48.
Тираж 7 000 экз. Заказ №4649

Отпечатано с готовых файлов заказчика
в ОАО «Первая Образцовая типография»,
филиал «УЛЬЯНОВСКИЙ ДОМ ПЕЧАТИ»
432980, г. Ульяновск, ул. Гончарова, 14

ISBN 978-5-699-65336-2

9 785699 653362 >

ОЛЬГА ВОЛОДАРСКАЯ

СЕРИЯ «НЕТ ЗАПРЕТНЫХ ТЕМ»

Детективы Ольги Володарской сочетают остроту современной прозы и напряженность психологического триллера. В них вы найдете все, что хотели, но боялись узнать. Для Ольги Володарской нет запретных тем!

«Девять кругов рая»
«Призрак большого города»
«Ножницы судьбы»